子どもの食と栄養

改訂第3版

編集・執筆

児玉浩子
帝京平成大学

執筆

太田百合子　風見公子
小林陽子　藤澤由美子

付録

日本人の食事摂取基準（2025年版）

付　録

■ 日本人の食事摂取基準（2025年版）■

1 基準を策定した栄養素と指標[1]（1歳以上）

栄養素			推定平均必要量 (EAR)	推奨量 (RDA)	目安量 (AI)	耐容上限量 (UL)	目標量 (DG)
たんぱく質[2]			○b	○b	—	—	○[3]
脂　質		脂質	—	—	—	—	○[3]
		飽和脂肪酸[4]	—	—	—	—	○[3]
		n-6系脂肪酸	—	—	○	—	—
		n-3系脂肪酸	—	—	○	—	—
		コレステロール[5]	—	—	—	—	—
炭水化物	炭水化物		—	—	—	—	○[3]
	食物繊維		—	—	—	—	○
	糖類		—	—	—	—	—
エネルギー産生栄養素バランス[2]			—	—	—	—	○[3]
ビタミン	脂溶性	ビタミンA	○a	○a	—	○	—
		ビタミンD[2]	—	—	○	○	—
		ビタミンE	—	—	○	○	—
		ビタミンK	—	—	○	—	—
	水溶性	ビタミンB$_1$	○a	○a	—	—	—
		ビタミンB$_2$	○c	○c	—	—	—
		ナイアシン	○a	○a	—	○	—
		ビタミンB$_6$	○b	○b	—	○	—
		ビタミンB$_{12}$	—	—	○	—	—
		葉酸	○a	○a	—	○[7]	—
		パントテン酸	—	—	○	—	—
		ビオチン	—	—	○	—	—
		ビタミンC	○b	○b	—	—	—
ミネラル	多　量	ナトリウム[6]	○a	—	—	—	○
		カリウム	—	—	○	—	○
		カルシウム	○b	○b	—	○	—
		マグネシウム	○b	○b	—	○[7]	—
		リン	—	—	○	○	—
	微　量	鉄	○b	○b	—	○	—
		亜鉛	○b	○b	—	○	—
		銅	○b	○b	—	○	—
		マンガン	—	—	○	○	—
		ヨウ素	○a	○a	—	○	—
		セレン	○a	○a	—	○	—
		クロム	—	—	○	○	—
		モリブデン	○b	○b	—	○	—

1：一部の年齢区分についてだけ設定した場合も含む.
2：フレイル予防を図るうえでの留意事項を表の脚注として記載.
3：総エネルギー摂取量に占めるべき割合（％エネルギー）.
4：脂質異常症の重症化予防を目的としたコレステロールの量と，トランス脂肪酸の摂取に関する参考情報を表の脚注として記載.
5：脂質異常症の重症化予防を目的とした量を飽和脂肪酸の表の脚注に記載.
6：高血圧および慢性腎臓病（CKD）の重症化予防を目的とした量を表の脚注として記載.
7：通常の食品以外の食品からの摂取について定めた.

a：集団内の半数の者に不足または欠乏の症状が現れうる摂取量をもって推定平均必要量とした栄養素.
b：集団内の半数の者で体内量が維持される摂取量をもって推定平均必要量とした栄養素.
c：集団内の半数の者で体内量が飽和している摂取量をもって推定平均必要量とした栄養素.

2 目標とするBMIの範囲（18歳以上）[1,2]

年齢（歳）	目標とするBMI（kg/m^2）
18〜49	18.5〜24.9
50〜64	20.0〜24.9
65〜74[3]	21.5〜24.9
75以上[3]	21.5〜24.9

1：男女共通．あくまでも参考として使用すべきである.
2：上限は総死亡率の低減に加え，主な生活習慣病の有病率，医療費，高齢者および労働者の身体機能低下との関連を考慮して定めた.
3：総死亡率をできるだけ低く抑えるためには下限は20.0から21.0付近となるが，その他の考慮すべき健康障害等を勘案して21.5とした.

付録：日本人の食事摂取基準（2025年版）

3 参照体位（参照身長，参照体重）[1]

性　別	男　性		女　性[2]	
年齢等	参照身長 (cm)	参照体重 (kg)	参照身長 (cm)	参照体重 (kg)
0〜5（月）	61.5	6.3	60.1	5.9
6〜11（月）	71.6	8.8	70.2	8.1
6〜8（月）	69.8	8.4	68.3	7.8
9〜11（月）	73.2	9.1	71.9	8.4
1〜2（歳）	85.8	11.5	84.6	11.0
3〜5（歳）	103.6	16.5	103.2	16.1
6〜7（歳）	119.5	22.2	118.3	21.9
8〜9（歳）	130.4	28.0	130.4	27.4
10〜11（歳）	142.0	35.6	144.0	36.3
12〜14（歳）	160.5	49.0	155.1	47.5
15〜17（歳）	170.1	59.7	157.7	51.9
18〜29（歳）	172.0	63.0	158.0	51.0
30〜49（歳）	171.8	70.0	158.5	53.3
50〜64（歳）	169.7	69.1	156.4	54.0
65〜74（歳）	165.3	64.4	152.2	52.6
75以上（歳）	162.0	61.0	148.3	49.3
18以上（歳）[3]	（男女計）参照身長 161.0 cm，参照体重58.6 kg			

1：0〜17歳は，日本小児内分泌学会・日本成長学会合同標準値委員会による小児の体格評価に用いる身長，体重の標準値を基に，年齢区分に応じて，当該月齢および年齢区分の中央時点における中央値を引用した．ただし，公表数値が年齢区分と合致しない場合は，同様の方法で算出した値を用いた．18歳以上は，平成30・令和元年国民健康・栄養調査の2か年における当該の性および年齢区分における身長・体重の中央値を用いた．
2：妊婦，授乳婦を除く．
3：18歳以上成人，男女合わせた参照身長および参照体重として，平成30・令和元年の2か年分の人口推計を用い，「地域ブロック・性・年齢階級別人口÷地域ブロック・性・年齢階級別 国民健康・栄養調査解析対象者数」で重み付けをして，地域ブロック・性・年齢区分を調整した身長・体重の中央値を算出した．

4 推定エネルギー必要量（kcal/日）

性　別	男　性			女　性		
身体活動レベル[1]	低い	ふつう	高い	低い	ふつう	高い
0〜5（月）	—	550	—	—	500	—
6〜8（月）	—	650	—	—	600	—
9〜11（月）	—	700	—	—	650	—
1〜2（歳）	—	950	—	—	900	—
3〜5（歳）	—	1,300	—	—	1,250	—
6〜7（歳）	1,350	1,550	1,750	1,250	1,450	1,650
8〜9（歳）	1,600	1,850	2,100	1,500	1,700	1,900
10〜11（歳）	1,950	2,250	2,500	1,850	2,100	2,350
12〜14（歳）	2,300	2,600	2,900	2,150	2,400	2,700
15〜17（歳）	2,500	2,850	3,150	2,050	2,300	2,550
18〜29（歳）	2,250	2,600	3,000	1,700	1,950	2,250
30〜49（歳）	2,350	2,750	3,150	1,750	2,050	2,350
50〜64（歳）	2,250	2,650	3,000	1,700	1,950	2,250
65〜74（歳）	2,100	2,350	2,650	1,650	1,850	2,050
75以上（歳）[2]	1,850	2,250	—	1,450	1,750	—
妊婦（付加量）[3]　初期					+50	
中期					+250	
後期					+450	
授乳婦（付加量）					+350	

1：身体活動レベルは，「低い」，「ふつう」，「高い」の3つのカテゴリーとした．
2：「ふつう」は自立している者，「低い」は自宅にいてほとんど外出しない者に相当する．「低い」は高齢者施設で自立に近い状態で過ごしている者にも適用できる値である．
3：妊婦個々の体格や妊娠中の体重増加量および胎児の発育状況の評価を行うことが必要である．
注1：活用に当たっては，食事評価，体重およびBMIの把握を行い，エネルギーの過不足は，体重の変化またはBMIを用いて評価すること．
注2：身体活動レベルが「低い」に該当する場合，少ないエネルギー消費量に見合った少ないエネルギー摂取量を維持することになるため，健康の保持・増進の観点からは，身体活動量を増加させる必要がある．

5 基礎代謝量基準値

性　別	男　性			女　性		
年齢（歳）	観察値[1]から推定した体重1kg当たりの基礎代謝量(A) (kcal/kg 体重/日)	参照体重 (B)(kg)	参照体重の場合の基礎代謝量 (A)×(B) (kcal/日)	観察値[1]から推定した体重1kg当たりの基礎代謝量(A) (kcal/kg 体重/日)	参照体重 (B)(kg)	参照体重の場合の基礎代謝量 (A)×(B) (kcal/日)
1〜2	61.0	11.5	700	59.7	11.0	660
3〜5	54.8	16.5	900	52.2	16.1	840
6〜7	44.3	22.2	980	41.9	21.9	920
8〜9	40.8	28.0	1,140	38.3	27.4	1,050
10〜11	37.4	35.6	1,330	34.8	36.3	1,260
12〜14	31.0	49.0	1,520	29.6	47.5	1,410
15〜17	27.0	59.7	1,610	25.3	51.9	1,310
18〜29	23.7	63.0	1,490	22.1	51.0	1,130
30〜49	22.5	70.0	1,570	21.9	53.3	1,170
50〜64	21.8	69.1	1,510	20.7	54.0	1,120
65〜74	21.6	64.4	1,390	20.7	52.6	1,090
75以上	21.5	61.0	1,310	20.7	49.3	1,020

1：「日本人における基礎代謝量の報告例（集団代表値）」からの観察値（厚生労働省．「日本人の食事摂取基準（2025年版）」策定検討会報告書．令和6年10月．p.66．https://www.mhlw.go.jp/content/10904750/001316585.pdf を参照）．

6 身体活動レベル（カテゴリー）別にみた活動内容と活動時間の代表例

身体活動レベル（カテゴリー）	低い	ふつう	高い
身体活動レベル基準値[1]	1.50（1.40〜1.60）	1.75（1.60〜1.90）	2.00（1.90〜2.20）
日常生活の内容[2]	生活の大部分が座位で，静的な活動が中心の場合	座位中心の仕事だが，職場内での移動や立位での作業・接客等，通勤・買い物での歩行，家事，軽いスポーツのいずれかを含む場合	移動や立位の多い仕事への従事者，あるいは，スポーツ等余暇における活発な運動習慣を持っている場合
中程度の強度（3.0〜5.9メッツ）の身体活動の1日当たりの合計時間（時間/日）[3]	1.65	2.06	2.53
仕事での1日当たりの合計歩行時間（時間/日）[3]	0.25	0.54	1.00

1：代表値．（　）内はおよその範囲．
2：Ishikawa-Takata K, et al. Eur J Clin Nutr 2008；62：885-91，Black AE, et al. Eur J Clin Nutr 1996；50：72-92を参考に，身体活動レベルに及ぼす仕事時間中の労作の影響が大きいことを考慮して作成．
3：Ishikawa-Takata K, et al. J Epidemiol 2011；21：114-21による．

■ 栄養素

7 たんぱく質の食事摂取基準（推定平均必要量，推奨量，目安量：g/日，目標量：％エネルギー）

性　別	男　性				女　性			
年齢等	推定平均必要量	推奨量	目安量	目標量[1]	推定平均必要量	推奨量	目安量	目標量[1]
0〜5（月）	—	—	10	—	—	—	10	—
6〜8（月）	—	—	15	—	—	—	15	—
9〜11（月）	—	—	25	—	—	—	25	—
1〜2（歳）	15	20	—	13〜20	15	20	—	13〜20
3〜5（歳）	20	25	—	13〜20	20	25	—	13〜20
6〜7（歳）	25	30	—	13〜20	25	30	—	13〜20
8〜9（歳）	30	40	—	13〜20	30	40	—	13〜20
10〜11（歳）	40	45	—	13〜20	40	50	—	13〜20
12〜14（歳）	50	60	—	13〜20	45	55	—	13〜20
15〜17（歳）	50	65	—	13〜20	45	55	—	13〜20
18〜29（歳）	50	65	—	13〜20	40	50	—	13〜20
30〜49（歳）	50	65	—	13〜20	40	50	—	13〜20
50〜64（歳）	50	65	—	14〜20	40	50	—	14〜20
65〜74（歳）[2]	50	60	—	15〜20	40	50	—	15〜20
75以上（歳）[2]	50	60	—	15〜20	40	50	—	15〜20
妊婦（付加量）								
初期					＋0	＋0	—	—[3]
中期					＋5	＋5	—	—[3]
後期					＋20	＋25	—	—[4]
授乳婦（付加量）					＋15	＋20	—	—[4]

1：範囲に関しては，おおむねの値を示したものであり，弾力的に運用すること．
2：65歳以上の高齢者について，フレイル予防を目的とした量を定めることは難しいが，身長・体重が参照体位に比べて小さい者や，特に75歳以上であって加齢に伴い身体活動量が大きく低下した者など，必要エネルギー摂取量が低い者では，下限が推奨量を下回る場合がありうる．この場合でも，下限は推奨量以上とすることが望ましい．
3：妊婦（初期・中期）の目標量は，13〜20％エネルギーとした．
4：妊婦（後期）および授乳婦の目標量は，15〜20％エネルギーとした．

付録：日本人の食事摂取基準（2025 年版）

8 脂質の食事摂取基準

性　別	脂質（％エネルギー）				飽和脂肪酸（％エネルギー）[2,3]	
	男　性		女　性		男　性	女　性
年齢等	目安量	目標量[1]	目安量	目標量[1]	目標量	目標量
0〜5（月）	50	—	50	—	—	—
6〜11（月）	40	—	40	—	—	—
1〜2（歳）	—	20〜30	—	20〜30	—	—
3〜5（歳）	—	20〜30	—	20〜30	10以下	10以下
6〜7（歳）	—	20〜30	—	20〜30	10以下	10以下
8〜9（歳）	—	20〜30	—	20〜30	10以下	10以下
10〜11（歳）	—	20〜30	—	20〜30	10以下	10以下
12〜14（歳）	—	20〜30	—	20〜30	10以下	10以下
15〜17（歳）	—	20〜30	—	20〜30	9以下	9以下
18〜29（歳）	—	20〜30	—	20〜30	7以下	7以下
30〜49（歳）	—	20〜30	—	20〜30	7以下	7以下
50〜64（歳）	—	20〜30	—	20〜30	7以下	7以下
65〜74（歳）	—	20〜30	—	20〜30	7以下	7以下
75以上（歳）	—	20〜30	—	20〜30	7以下	7以下
妊　婦			—	20〜30		7以下
授乳婦			—	20〜30		7以下

1：範囲に関しては，おおむねの値を示したものである．
2：飽和脂肪酸と同じく，脂質異常症および循環器疾患に関与する栄養素としてコレステロールがある．コレステロールに目標量は設定しないが，これは許容される摂取量に上限が存在しないことを保証するものではない．また，脂質異常症の重症化予防の目的からは，200 mg/日未満に留めることが望ましい．
3：飽和脂肪酸と同じく，冠動脈疾患に関与する栄養素としてトランス脂肪酸がある．日本人の大多数は，トランス脂肪酸に関する世界保健機関（WHO）の目標（1％エネルギー未満）を下回っており，トランス脂肪酸の摂取による健康への影響は，飽和脂肪酸の摂取によるものと比べて小さいと考えられる．ただし，脂質に偏った食事をしている者では，留意する必要がある．トランス脂肪酸は人体にとって不可欠な栄養素ではなく，健康の保持・増進を図るうえで積極的な摂取は勧められないことから，その摂取量は1％エネルギー未満に留めることが望ましく，1％エネルギー未満でもできるだけ低く留めることが望ましい．

性　別	n-6系脂肪酸（g/日）		n-3系脂肪酸（g/日）	
	男　性	女　性	男　性	女　性
年齢等	目安量	目安量	目安量	目安量
0〜5（月）	4	4	0.9	0.9
6〜11（月）	4	4	0.8	0.8
1〜2（歳）	4	4	0.7	0.7
3〜5（歳）	6	6	1.2	1.0
6〜7（歳）	8	7	1.4	1.2
8〜9（歳）	8	8	1.5	1.4
10〜11（歳）	9	9	1.7	1.7
12〜14（歳）	11	11	2.2	1.7
15〜17（歳）	13	11	2.2	1.7
18〜29（歳）	12	9	2.2	1.7
30〜49（歳）	11	9	2.2	1.7
50〜64（歳）	11	9	2.3	1.9
65〜74（歳）	10	9	2.3	2.0
75以上（歳）	9	8	2.3	2.0
妊　婦		9		1.7
授乳婦		9		1.7

9 炭水化物・食物繊維の食事摂取基準

性　別	炭水化物（％エネルギー）		食物繊維（g/日）	
	男　性	女　性	男　性	女　性
年齢等	目標量[1, 2]	目標量[1, 2]	目標量	目標量
0～5（月）	—	—	—	—
6～11（月）	—	—	—	—
1～2（歳）	50～65	50～65	—	—
3～5（歳）	50～65	50～65	8以上	8以上
6～7（歳）	50～65	50～65	10以上	9以上
8～9（歳）	50～65	50～65	11以上	11以上
10～11（歳）	50～65	50～65	13以上	13以上
12～14（歳）	50～65	50～65	17以上	16以上
15～17（歳）	50～65	50～65	19以上	18以上
18～29（歳）	50～65	50～65	20以上	18以上
30～49（歳）	50～65	50～65	22以上	18以上
50～64（歳）	50～65	50～65	22以上	18以上
65～74（歳）	50～65	50～65	21以上	18以上
75以上（歳）	50～65	50～65	20以上	17以上
妊　婦		50～65		18以上
授乳婦		50～65		18以上

1：範囲に関しては，おおむねの値を示したものである．
2：エネルギー計算上，アルコールを含む．ただし，アルコールの摂取を勧めるものではない．

10 エネルギー産生栄養素バランス（％エネルギー）

性　別	男　性				女　性			
	目標量[1, 2]				目標量[1, 2]			
年齢等	たんぱく質[3]	脂　質[4]		炭水化物[5, 6]	たんぱく質[3]	脂　質[4]		炭水化物[5, 6]
		脂　質	飽和脂肪酸			脂　質	飽和脂肪酸	
0～11（月）	—	—	—	—	—	—	—	—
1～2（歳）	13～20	20～30	—	50～65	13～20	20～30	—	50～65
3～5（歳）	13～20	20～30	10以下	50～65	13～20	20～30	10以下	50～65
6～7（歳）	13～20	20～30	10以下	50～65	13～20	20～30	10以下	50～65
8～9（歳）	13～20	20～30	10以下	50～65	13～20	20～30	10以下	50～65
10～11（歳）	13～20	20～30	10以下	50～65	13～20	20～30	10以下	50～65
12～14（歳）	13～20	20～30	10以下	50～65	13～20	20～30	10以下	50～65
15～17（歳）	13～20	20～30	9以下	50～65	13～20	20～30	9以下	50～65
18～29（歳）	13～20	20～30	7以下	50～65	13～20	20～30	7以下	50～65
30～49（歳）	13～20	20～30	7以下	50～65	13～20	20～30	7以下	50～65
50～64（歳）	14～20	20～30	7以下	50～65	14～20	20～30	7以下	50～65
65～74（歳）	15～20	20～30	7以下	50～65	15～20	20～30	7以下	50～65
75以上（歳）	15～20	20～30	7以下	50～65	15～20	20～30	7以下	50～65
妊婦　初期					13～20			
中期					13～20	20～30	7以下	50～65
後期					15～20			
授乳婦					15～20			

1：必要なエネルギー量を確保したうえでのバランスとすること．
2：範囲に関しては，おおむねの値を示したものであり，弾力的に運用すること．
3：65歳以上の高齢者について，フレイル予防を目的とした量を定めることは難しいが，身長・体重が参照体位に比べて小さい者や，特に75歳以上であって加齢に伴い身体活動量が大きく低下した者など，必要エネルギー摂取量が低い者では，下限が推奨量を下回る場合がありうる．この場合でも，下限は推奨量以上とすることが望ましい．
4：脂質については，その構成成分である飽和脂肪酸など，質への配慮を十分に行う必要がある．
5：アルコールを含む．ただし，アルコールの摂取を勧めるものではない．
6：食物繊維の目標量を十分に注意すること．

付録：日本人の食事摂取基準（2025年版）

11 脂溶性ビタミンの食事摂取基準

性別		男性				女性			
年齢等		推定平均必要量[2]	推奨量[2]	目安量[3]	耐容上限量[3]	推定平均必要量[2]	推奨量[2]	目安量[3]	耐容上限量[3]
0~5（月）		—	—	300	600	—	—	300	600
6~11（月）		—	—	400	600	—	—	400	600
1~2（歳）		300	400	—	600	250	350	—	600
3~5（歳）		350	500	—	700	350	500	—	700
6~7（歳）		350	500	—	950	350	500	—	950
8~9（歳）		350	500	—	1,200	350	500	—	1,200
10~11（歳）		450	600	—	1,500	400	600	—	1,500
12~14（歳）		550	800	—	2,100	500	700	—	2,100
15~17（歳）		650	900	—	2,600	500	650	—	2,600
18~29（歳）		600	850	—	2,700	450	650	—	2,700
30~49（歳）		650	900	—	2,700	500	700	—	2,700
50~64（歳）		650	900	—	2,700	500	700	—	2,700
65~74（歳）		600	850	—	2,700	500	700	—	2,700
75以上（歳）		550	800	—	2,700	450	650	—	2,700
妊婦（付加量）	初期					+0	+0	—	—
	中期					+0	+0	—	—
	後期					+60	+80	—	—
授乳婦（付加量）						+300	+450	—	—

1：レチノール活性当量（μgRAE）＝レチノール（μg）＋β-カロテン（μg）×1/12＋α-カロテン（μg）×1/24＋β-クリプトキサンチン（μg）×1/24＋その他のプロビタミンAカロテノイド（μg）×1/24
2：プロビタミンAカロテノイドを含む.
3：プロビタミンAカロテノイドを含まない.

性別	ビタミンD（μg/日）[1]				ビタミンE（mg/日）[2]				ビタミンK（μg/日）	
	男性		女性		男性		女性		男性	女性
年齢等	目安量	耐容上限量	目安量	耐容上限量	目安量	耐容上限量	目安量	耐容上限量	目安量	目安量
0~5（月）	5.0	25	5.0	25	3.0	—	3.0	—	4	4
6~11（月）	5.0	25	5.0	25	4.0	—	4.0	—	7	7
1~2（歳）	3.5	25	3.5	25	3.0	150	3.0	150	50	60
3~5（歳）	4.5	30	4.5	30	4.0	200	4.0	200	60	70
6~7（歳）	5.5	40	5.5	40	4.5	300	4.0	300	80	90
8~9（歳）	6.5	40	6.5	40	5.0	350	5.0	350	90	110
10~11（歳）	8.0	60	8.0	60	5.0	450	5.5	450	110	130
12~14（歳）	9.0	80	9.0	80	6.5	650	6.0	600	140	150
15~17（歳）	9.0	90	9.0	90	7.0	750	6.0	650	150	150
18~29（歳）	9.0	100	9.0	100	6.5	800	5.0	650	150	150
30~49（歳）	9.0	100	9.0	100	6.5	800	6.0	700	150	150
50~64（歳）	9.0	100	9.0	100	6.5	800	6.0	700	150	150
65~74（歳）	9.0	100	9.0	100	7.5	800	7.0	700	150	150
75以上（歳）	9.0	100	9.0	100	7.0	800	6.0	650	150	150
妊婦			9.0	—			5.5	—		150
授乳婦			9.0	—			5.5	—		150

1：日照により皮膚でビタミンDが産生されることをふまえ，フレイル予防を図る者はもとより，全年齢区分を通じて，日常生活において可能な範囲内での適度な日光浴を心がけるとともに，ビタミンDの摂取については，日照時間を考慮に入れることが重要である.
2：α-トコフェロールについて算定した．α-トコフェロール以外のビタミンEは含まない.

12 水溶性ビタミンの食事摂取基準

性別	ビタミンB1（mg/日）[1,2]						ビタミンB2（mg/日）[2]					
	男性			女性			男性			女性		
年齢等	推定平均必要量	推奨量	目安量	推定平均必要量	推奨量	目安量	推定平均必要量	推奨量	目安量	推定平均必要量	推奨量	目安量
0~5（月）	—	—	0.1	—	—	0.1	—	—	0.3	—	—	0.3
6~11（月）	—	—	0.2	—	—	0.2	—	—	0.4	—	—	0.4
1~2（歳）	0.3	0.4	—	0.3	0.4	—	0.5	0.6	—	0.5	0.5	—
3~5（歳）	0.4	0.5	—	0.4	0.5	—	0.7	0.8	—	0.6	0.8	—
6~7（歳）	0.5	0.7	—	0.4	0.6	—	0.8	0.9	—	0.7	0.9	—
8~9（歳）	0.6	0.8	—	0.5	0.7	—	0.9	1.1	—	0.9	1.0	—
10~11（歳）	0.7	0.9	—	0.6	0.9	—	1.1	1.4	—	1.1	1.3	—
12~14（歳）	0.8	1.1	—	0.7	1.0	—	1.3	1.7	—	1.2	1.4	—
15~17（歳）	0.9	1.2	—	0.7	1.0	—	1.4	1.7	—	1.2	1.4	—
18~29（歳）	0.8	1.1	—	0.6	0.8	—	1.3	1.6	—	1.0	1.2	—
30~49（歳）	0.8	1.1	—	0.6	0.9	—	1.3	1.7	—	1.0	1.2	—
50~64（歳）	0.8	1.1	—	0.6	0.8	—	1.3	1.6	—	1.0	1.2	—
65~74（歳）	0.7	1.0	—	0.6	0.8	—	1.2	1.4	—	0.9	1.1	—
75以上（歳）	0.7	1.0	—	0.5	0.7	—	1.1	1.4	—	0.9	1.1	—
妊婦（付加量）				+0.1	+0.2	—				+0.2	+0.3	—
授乳婦（付加量）				+0.2	+0.2	—				+0.5	+0.6	—

1：チアミン塩化物塩酸塩（分子量＝337.3）相当量として示した.
2：身体活動レベル「ふつう」の推定エネルギー必要量を用いて算定した.
特記事項：推定平均必要量は，ビタミンB2の欠乏症である口唇炎，口角炎，舌炎などの皮膚炎を予防するに足る最小量からではなく，尿中にビタミンB2の排泄量が増大し始める摂取量（体内飽和量）から算定.

⑫のつづき

ナイアシン (mgNE/日)[1,2]

性別	男性				女性			
年齢等	推定平均必要量	推奨量	目安量	耐容上限量[3]	推定平均必要量	推奨量	目安量	耐容上限量[3]
0〜5(月)[4]	—	—	2	—	—	—	2	—
6〜11(月)	—	—	3	—	—	—	3	—
1〜2(歳)	5	6	—	60(15)	4	5	—	60(15)
3〜5(歳)	6	8	—	80(20)	6	7	—	80(20)
6〜7(歳)	7	9	—	100(30)	7	8	—	100(30)
8〜9(歳)	9	11	—	150(35)	8	10	—	150(35)
10〜11(歳)	11	13	—	200(45)	10	12	—	200(45)
12〜14(歳)	12	15	—	250(60)	12	14	—	250(60)
15〜17(歳)	14	16	—	300(70)	11	13	—	250(65)
18〜29(歳)	13	15	—	300(80)	9	11	—	250(65)
30〜49(歳)	13	16	—	350(85)	10	12	—	250(65)
50〜64(歳)	13	15	—	350(85)	9	11	—	250(65)
65〜74(歳)	11	14	—	300(80)	9	11	—	250(65)
75以上(歳)	11	13	—	300(75)	8	10	—	250(60)
妊婦(付加量)					+0	+0	—	—
授乳婦(付加量)					+3	+3	—	—

1:ナイアシン当量(NE)＝ナイアシン+1/60トリプトファンで示した.
2:身体活動レベル「ふつう」の推定エネルギー必要量を用いて算定した.
3:ニコチンアミドの重量(mg/日)，（ ）内はニコチン酸の重量(mg/日).
4:単位はmg/日.

ビタミンB6 (mg/日)[1] ／ ビタミンB12 (μg/日)[3]

性別	男性				女性				B12 男性	B12 女性
年齢等	推定平均必要量	推奨量	目安量	耐容上限量[2]	推定平均必要量	推奨量	目安量	耐容上限量[2]	目安量	目安量
0〜5(月)	—	—	0.2	—	—	—	0.2	—	0.4	0.4
6〜11(月)	—	—	0.3	—	—	—	0.3	—	0.9	0.9
1〜2(歳)	0.4	0.5	—	10	0.4	0.5	—	10	1.5	1.5
3〜5(歳)	0.5	0.6	—	15	0.5	0.6	—	15	1.5	1.5
6〜7(歳)	0.6	0.7	—	20	0.6	0.7	—	20	2.0	2.0
8〜9(歳)	0.8	0.9	—	25	0.8	0.9	—	25	2.5	2.5
10〜11(歳)	0.9	1.0	—	30	1.0	1.2	—	30	3.0	3.0
12〜14(歳)	1.2	1.4	—	40	1.1	1.3	—	40	4.0	4.0
15〜17(歳)	1.2	1.5	—	50	1.1	1.3	—	45	4.0	4.0
18〜29(歳)	1.2	1.5	—	55	1.0	1.2	—	45	4.0	4.0
30〜49(歳)	1.2	1.5	—	60	1.0	1.2	—	45	4.0	4.0
50〜64(歳)	1.2	1.5	—	60	1.0	1.2	—	45	4.0	4.0
65〜74(歳)	1.2	1.4	—	55	1.0	1.2	—	45	4.0	4.0
75以上(歳)	1.2	1.4	—	50	1.0	1.2	—	40	4.0	4.0
妊婦(付加量)					+0.2	+0.2	—	—		4.0
授乳婦(付加量)					+0.3	+0.3	—	—		4.0

1:たんぱく質の推奨量を用いて算定した(妊婦・授乳婦の付加量は除く).
2:ピリドキシン(分子量＝169.2)相当量として示した.
3:シアノコバラミン(分子量＝1,355.4)相当量として示した.

葉酸 (μg/日)[1] ／ パントテン酸 (mg/日) ／ ビオチン (μg/日)

性別	男性				女性				パントテン酸 男性	パントテン酸 女性	ビオチン 男性	ビオチン 女性
年齢等	推定平均必要量	推奨量	目安量	耐容上限量[2]	推定平均必要量	推奨量	目安量	耐容上限量[2]	目安量	目安量	目安量	目安量
0〜5(月)	—	—	40	—	—	—	40	—	4	4	4	4
6〜11(月)	—	—	70	—	—	—	70	—	3	3	10	10
1〜2(歳)	70	90	—	200	70	90	—	200	3	3	20	20
3〜5(歳)	80	100	—	300	80	100	—	300	4	4	20	20
6〜7(歳)	110	130	—	400	110	130	—	400	5	5	30	30
8〜9(歳)	130	150	—	500	130	150	—	500	6	6	30	30
10〜11(歳)	150	180	—	700	150	180	—	700	6	6	40	40
12〜14(歳)	190	230	—	900	190	230	—	900	7	6	50	50
15〜17(歳)	200	240	—	900	200	240	—	900	7	6	50	50
18〜29(歳)	200	240	—	900	200	240	—	900	6	5	50	50
30〜49(歳)	200	240	—	1,000	200	240	—	1,000	6	5	50	50
50〜64(歳)	200	240	—	1,000	200	240	—	1,000	6	5	50	50
65〜74(歳)	200	240	—	900	200	240	—	900	6	5	50	50
75以上(歳)	200	240	—	900	200	240	—	900	6	5	50	50
妊婦[3] 初期					+0	+0	—	—		5		50
中期・後期					+200	+240	—	—				
授乳婦[3,4]					+80	+100	—	—		6		50

1:葉酸(プテロイルモノグルタミン酸,分子量＝441.4)相当量として示した.
2:通常の食品以外の食品に含まれる葉酸に適用する.
3:妊娠を計画している女性,妊娠の可能性がある女性および妊娠初期の妊婦は,胎児の神経管閉鎖障害のリスク低減のために,通常の食品以外の食品に含まれる葉酸を400μg/日摂取することが望まれる.
4:葉酸は付加量を示す.

付録：日本人の食事摂取基準（2025 年版）

12 のつづき

	ビタミンC（mg/日）[1]					
性　別	男　性			女　性		
年齢等	推定平均必要量	推奨量	目安量	推定平均必要量	推奨量	目安量
0～5（月）	—	—	40	—	—	40
6～11（月）	—	—	40	—	—	40
1～2（歳）	30	35	—	30	35	—
3～5（歳）	35	40	—	35	40	—
6～7（歳）	40	50	—	40	50	—
8～9（歳）	50	60	—	50	60	—
10～11（歳）	60	70	—	60	70	—
12～14（歳）	75	90	—	75	90	—
15～17（歳）	80	100	—	80	100	—
18～29（歳）	80	100	—	80	100	—
30～49（歳）	80	100	—	80	100	—
50～64（歳）	80	100	—	80	100	—
65～74（歳）	80	100	—	80	100	—
75以上（歳）	80	100	—	80	100	—
妊婦（付加量）				+10	+10	—
授乳婦（付加量）				+40	+45	—

1：L-アスコルビン酸（分子量＝176.1）相当量で示した．
特記事項：推定平均必要量は，ビタミンCの欠乏症である壊血病を予防するに足る最小量からではなく，良好なビタミンCの栄養状態の確実な維持の観点から算定．

13 多量ミネラルの食事摂取基準

	ナトリウム（mg/日，（　）は食塩相当量[g/日]）[1]						カリウム（mg/日）			
性　別	男　性			女　性			男　性		女　性	
年齢等	推定平均必要量	目安量	目標量	推定平均必要量	目安量	目標量	目安量	目標量	目安量	目標量
0～5（月）	—	100（0.3）	—	—	100（0.3）	—	400	—	400	—
6～11（月）	—	600（1.5）	—	—	600（1.5）	—	700	—	700	—
1～2（歳）	—	—	（3.0未満）	—	—	（2.5未満）	900	—	800	—
3～5（歳）	—	—	（3.5未満）	—	—	（3.5未満）	1,100	1,600以上	1,000	1,400以上
6～7（歳）	—	—	（4.5未満）	—	—	（4.5未満）	1,300	1,800以上	1,200	1,600以上
8～9（歳）	—	—	（5.0未満）	—	—	（5.0未満）	1,600	2,000以上	1,400	1,800以上
10～11（歳）	—	—	（6.0未満）	—	—	（6.0未満）	1,900	2,200以上	1,800	2,000以上
12～14（歳）	—	—	（7.0未満）	—	—	（6.5未満）	2,400	2,600以上	2,200	2,400以上
15～17（歳）	—	—	（7.5未満）	—	—	（6.5未満）	2,800	3,000以上	2,000	2,600以上
18～29（歳）	600（1.5）	—	（7.5未満）	600（1.5）	—	（6.5未満）	2,500	3,000以上	2,000	2,600以上
30～49（歳）	600（1.5）	—	（7.5未満）	600（1.5）	—	（6.5未満）	2,500	3,000以上	2,000	2,600以上
50～64（歳）	600（1.5）	—	（7.5未満）	600（1.5）	—	（6.5未満）	2,500	3,000以上	2,000	2,600以上
65～74（歳）	600（1.5）	—	（7.5未満）	600（1.5）	—	（6.5未満）	2,500	3,000以上	2,000	2,600以上
75以上（歳）	600（1.5）	—	（7.5未満）	600（1.5）	—	（6.5未満）	2,500	3,000以上	2,000	2,600以上
妊　婦				600（1.5）	—	（6.5未満）			2,000	2,600以上
授乳婦				600（1.5）	—	（6.5未満）			2,200	2,600以上

1：高血圧および慢性腎臓病（CKD）の重症化予防のための食塩相当量の量は，男女とも6.0 g/日未満とした．

	カルシウム（mg/日）							
性　別	男　性				女　性			
年齢等	推定平均必要量	推奨量	目安量	耐容上限量	推定平均必要量	推奨量	目安量	耐容上限量
0～5（月）	—	—	200	—	—	—	200	—
6～11（月）	—	—	250	—	—	—	250	—
1～2（歳）	350	450	—	—	350	400	—	—
3～5（歳）	500	600	—	—	450	550	—	—
6～7（歳）	500	600	—	—	450	550	—	—
8～9（歳）	550	650	—	—	600	750	—	—
10～11（歳）	600	700	—	—	600	750	—	—
12～14（歳）	850	1,000	—	—	700	800	—	—
15～17（歳）	650	800	—	—	550	650	—	—
18～29（歳）	650	800	—	2,500	550	650	—	2,500
30～49（歳）	650	750	—	2,500	550	650	—	2,500
50～64（歳）	600	750	—	2,500	550	650	—	2,500
65～74（歳）	600	750	—	2,500	550	650	—	2,500
75以上（歳）	600	700	—	2,500	500	600	—	2,500
妊婦（付加量）					+0	+0	—	—
授乳婦（付加量）					+0	+0	—	—

🔢のつづき

性別	マグネシウム（mg/日）								リン（mg/日）			
	男性				女性				男性		女性	
年齢等	推定平均必要量	推奨量	目安量	耐容上限量[1]	推定平均必要量	推奨量	目安量	耐容上限量[1]	目安量	耐容上限量	目安量	耐容上限量
0～5（月）	—	—	20	—	—	—	20	—	120	—	120	—
6～11（月）	—	—	60	—	—	—	60	—	260	—	260	—
1～2（歳）	60	70	—	—	60	70	—	—	600	—	500	—
3～5（歳）	80	100	—	—	80	100	—	—	700	—	700	—
6～7（歳）	110	130	—	—	110	130	—	—	900	—	800	—
8～9（歳）	140	170	—	—	140	160	—	—	1,000	—	900	—
10～11（歳）	180	210	—	—	180	220	—	—	1,100	—	1,000	—
12～14（歳）	250	290	—	—	240	290	—	—	1,200	—	1,100	—
15～17（歳）	300	360	—	—	260	310	—	—	1,200	—	1,000	—
18～29（歳）	280	340	—	—	230	280	—	—	1,000	3,000	800	3,000
30～49（歳）	320	380	—	—	240	290	—	—	1,000	3,000	800	3,000
50～64（歳）	310	370	—	—	240	290	—	—	1,000	3,000	800	3,000
65～74（歳）	290	350	—	—	240	280	—	—	1,000	3,000	800	3,000
75以上（歳）	270	330	—	—	220	270	—	—	1,000	3,000	800	3,000
妊婦[2]					+30	+40	—	—			800	—
授乳婦[2]					+0	+0	—	—			800	—

1：通常の食品以外からの摂取量の耐容上限量は，成人の場合350 mg/日，小児では5 mg/kg 体重/日とした．それ以外の通常の食品からの摂取の場合，耐容上限量は設定しない．
2：マグネシウムは付加量を示す．

🔢 微量ミネラルの食事摂取基準

性別	鉄（mg/日）									
	男性				女性					
					月経なし		月経あり			
年齢等	推定平均必要量	推奨量	目安量	耐容上限量	推定平均必要量	推奨量	推定平均必要量	推奨量	目安量	耐容上限量
0～5（月）	—	—	0.5	—	—	—	—	—	0.5	—
6～11（月）	3.5	4.5	—	—	3.0	4.5	—	—	—	—
1～2（歳）	3.0	4.0	—	—	3.0	4.0	—	—	—	—
3～5（歳）	3.5	5.0	—	—	3.5	5.0	—	—	—	—
6～7（歳）	4.5	6.0	—	—	4.5	6.0	—	—	—	—
8～9（歳）	5.5	7.5	—	—	6.0	8.0	—	—	—	—
10～11（歳）	6.5	9.5	—	—	6.5	9.0	8.5	12.5	—	—
12～14（歳）	7.5	9.0	—	—	6.5	8.0	9.0	12.5	—	—
15～17（歳）	7.5	9.0	—	—	5.5	6.5	7.5	11.0	—	—
18～29（歳）	5.5	7.0	—	—	5.0	6.0	7.0	10.0	—	—
30～49（歳）	6.0	7.5	—	—	5.0	6.0	7.5	10.5	—	—
50～64（歳）	6.0	7.0	—	—	5.0	6.0	7.5	10.5	—	—
65～74（歳）	5.5	7.0	—	—	5.0	6.0	—	—	—	—
75以上（歳）	5.5	6.5	—	—	4.5	5.5	—	—	—	—
妊婦（付加量）初期					+2.0	+2.5	—	—	—	—
中期・後期					+7.0	+8.5	—	—	—	—
授乳婦（付加量）					+1.5	+2.0	—	—	—	—

性別	亜鉛（mg/日）								銅（mg/日）							
	男性				女性				男性				女性			
年齢等	推定平均必要量	推奨量	目安量	耐容上限量	推定平均必要量	推奨量	目安量	耐容上限量	推定平均必要量	推奨量	目安量	耐容上限量	推定平均必要量	推奨量	目安量	耐容上限量
0～5（月）	—	—	1.5	—	—	—	1.5	—	—	—	0.3	—	—	—	0.3	—
6～11（月）	—	—	2.0	—	—	—	2.0	—	—	—	0.4	—	—	—	0.4	—
1～2（歳）	2.5	3.5	—	—	2.0	3.0	—	—	0.3	0.3	—	—	0.2	0.3	—	—
3～5（歳）	3.0	4.0	—	—	2.5	3.5	—	—	0.3	0.4	—	—	0.3	0.3	—	—
6～7（歳）	3.5	5.0	—	—	3.0	4.5	—	—	0.4	0.4	—	—	0.4	0.4	—	—
8～9（歳）	4.0	5.5	—	—	4.0	5.5	—	—	0.4	0.5	—	—	0.4	0.5	—	—
10～11（歳）	5.5	8.0	—	—	5.5	7.5	—	—	0.5	0.6	—	—	0.5	0.6	—	—
12～14（歳）	7.0	8.5	—	—	6.5	8.5	—	—	0.7	0.8	—	—	0.6	0.8	—	—
15～17（歳）	8.5	10.0	—	—	6.0	8.0	—	—	0.8	0.9	—	—	0.6	0.7	—	—
18～29（歳）	7.5	9.0	—	40	6.0	7.5	—	35	0.7	0.9	—	7	0.6	0.7	—	7
30～49（歳）	8.0	9.5	—	45	6.5	8.0	—	35	0.8	0.9	—	7	0.6	0.7	—	7
50～64（歳）	8.0	9.5	—	45	6.5	8.0	—	35	0.7	0.9	—	7	0.6	0.7	—	7
65～74（歳）	7.5	9.0	—	45	6.5	7.5	—	35	0.7	0.9	—	7	0.6	0.7	—	7
75以上（歳）	7.5	9.0	—	40	6.0	7.0	—	35	0.7	0.8	—	7	0.6	0.7	—	7
妊婦（付加量）初期					+0.0	+0.0	—						+0.1	+0.1	—	
中期・後期					+2.0	+2.0	—						+0.1	+0.1	—	
授乳婦（付加量）					+2.5	+3.0	—						+0.5	+0.6	—	

付録：日本人の食事摂取基準（2025 年版）

14のつづき

性別	マンガン（mg/日）				ヨウ素（μg/日）							
	男性		女性		男性				女性			
年齢等	目安量	耐容上限量	目安量	耐容上限量	推定平均必要量	推奨量	目安量	耐容上限量	推定平均必要量	推奨量	目安量	耐容上限量
0～5（月）	0.01	―	0.01	―	―	―	100	250	―	―	100	250
6～11（月）	0.5	―	0.5	―	―	―	130	350	―	―	130	350
1～2（歳）	1.5	―	1.5	―	35	50	―	600	35	50	―	600
3～5（歳）	2.0	―	2.0	―	40	60	―	900	40	60	―	900
6～7（歳）	2.0	―	2.0	―	55	75	―	1,200	55	75	―	1,200
8～9（歳）	2.5	―	2.5	―	65	90	―	1,500	65	90	―	1,500
10～11（歳）	3.0	―	3.0	―	75	110	―	2,000	75	110	―	2,000
12～14（歳）	3.5	―	3.0	―	100	140	―	2,500	100	140	―	2,500
15～17（歳）	3.5	―	3.0	―	100	140	―	3,000	100	140	―	3,000
18～29（歳）	3.5	11	3.0	11	100	140	―	3,000	100	140	―	3,000
30～49（歳）	3.5	11	3.0	11	100	140	―	3,000	100	140	―	3,000
50～64（歳）	3.5	11	3.0	11	100	140	―	3,000	100	140	―	3,000
65～74（歳）	3.5	11	3.0	11	100	140	―	3,000	100	140	―	3,000
75以上（歳）	3.5	11	3.0	11	100	140	―	3,000	100	140	―	3,000
妊婦[1]			3.0	―					+75	+110	―	―[2]
授乳婦[1]			3.0	―					+100	+140	―	―[2]

1：ヨウ素は付加量を示す．
2：妊婦および授乳婦の耐容上限量は，2,000 μg/日とした．

性別	セレン（μg/日）								クロム（μg/日）			
	男性				女性				男性		女性	
年齢等	推定平均必要量	推奨量	目安量	耐容上限量	推定平均必要量	推奨量	目安量	耐容上限量	目安量	耐容上限量	目安量	耐容上限量
0～5（月）	―	―	15	―	―	―	15	―	0.8	―	0.8	―
6～11（月）	―	―	15	―	―	―	15	―	1.0	―	1.0	―
1～2（歳）	10	10	―	100	10	10	―	100	―	―	―	―
3～5（歳）	10	15	―	100	10	10	―	100	―	―	―	―
6～7（歳）	15	15	―	150	15	15	―	150	―	―	―	―
8～9（歳）	15	20	―	200	15	20	―	200	―	―	―	―
10～11（歳）	20	25	―	250	20	25	―	250	―	―	―	―
12～14（歳）	25	30	―	350	25	30	―	300	―	―	―	―
15～17（歳）	30	35	―	400	20	25	―	350	―	―	―	―
18～29（歳）	25	30	―	400	20	25	―	350	10	500	10	500
30～49（歳）	25	35	―	450	20	25	―	350	10	500	10	500
50～64（歳）	25	30	―	450	20	25	―	350	10	500	10	500
65～74（歳）	25	30	―	450	20	25	―	350	10	500	10	500
75以上（歳）	25	30	―	400	20	25	―	350	10	500	10	500
妊婦[1]					+5	+5	―	―			10	―
授乳婦[1]					+15	+20	―	―			10	―

1：セレンは付加量を示す．

性別	モリブデン（μg/日）							
	男性				女性			
年齢等	推定平均必要量	推奨量	目安量	耐容上限量	推定平均必要量	推奨量	目安量	耐容上限量
0～5（月）	―	―	2.5	―	―	―	2.5	―
6～11（月）	―	―	3.0	―	―	―	3.0	―
1～2（歳）	10	10	―	―	10	10	―	―
3～5（歳）	10	10	―	―	10	10	―	―
6～7（歳）	10	15	―	―	10	15	―	―
8～9（歳）	15	20	―	―	15	15	―	―
10～11（歳）	15	20	―	―	15	20	―	―
12～14（歳）	20	25	―	―	20	25	―	―
15～17（歳）	25	30	―	―	20	25	―	―
18～29（歳）	20	30	―	600	20	25	―	500
30～49（歳）	25	30	―	600	20	25	―	500
50～64（歳）	25	30	―	600	20	25	―	500
65～74（歳）	20	30	―	600	20	25	―	500
75以上（歳）	20	25	―	600	20	25	―	500
妊婦（付加量）					+0	+0	―	―
授乳婦（付加量）					+2.5	+3.5	―	―

子どもの
食と栄養

改訂第3版

編集・執筆

児玉浩子
帝京平成大学

執筆

太田百合子　風見公子
小林陽子　藤澤由美子

中山書店

序

2014 年 8 月に『子どもの食と栄養』の初版，2018 年 9 月に第 2 版を上梓しました．幸いにも大変ご好評をいただき，多くの方にご活用いただいています．第 2 版より 3 年がたち，この間，乳幼児栄養など関連する国の調査，報告書，手引き，さらに食育推進基本計画も 2021 年からめざす第 4 次の目標などが発表されましたので，最近の資料を基に，改訂第 3 版をお届けします．

乳幼児期は人生の始まりの時期です．心身の発達に最も重要な時期で，健全な心身の発達に，適切な栄養は必要不可欠です．保育所利用児童は，起きている時間の大半を保育所で過ごします．したがって，保育における「食べ物の提供」と「食育」は，保育の根源にかかわる最重要課題です．本書では，保育を学ぶ方々や保育士・幼稚園教諭を対象に，「子どもの食と栄養」について，**重要なことを楽しく学べるように，わかりやすくまとめました**．執筆者は，実際，保育士養成課程の「子どもの食と栄養」を担当している教員や食育を実践している医師・管理栄養士です．

本書の特徴は，保育士・幼稚園教諭が知っておくべきことと，子どもたちの食育に役立つことを 2 本柱にしたことです．知っておくべきこととしては，保育士養成課程の教育カリキュラム「子どもの食と栄養」の項目に対応した内容になっています．また，皆でディスカッションしたり，考えたりできるテーマも提示しました．ディスカッションして食に対する理解をさらに深めていただきたいと願っています．食育には，最近国内外で重要とされている **SDGs（持続可能な開発目標）** もとりあげました．幼児期から SDGs の考え方を身につけることはとても大切です．さらに，食育に役立つことを念頭に，季節の食事，伝統的な食，食事マナー，食の常識などを随所に盛り込みました．これらは，この本を読まれる方や乳幼児の保護者にもぜひ知っていただきたいと思っています．食に関する教養を身につけることができます．また，本書を読まれると，子どもや保護者に伝えたいこと，「なぜバランスよく食べなくてはいけないの？」「なぜ食事の前に手を洗うの？」「なぜよく嚙まないといけないの？」「元気・力の源は？」など食育に欠かせないテーマを理解することができます．それらを基に，各自で工夫して食育をしていただければ幸いです．食育を通して，子どもたちに健全な身体と暖かい心が培われることを願っています．

本書は，保育士をめざしている方のみならず，保育士，認定こども園の教諭，幼稚園教諭など，「保育」に携わるすべての方々に役立てていただける内容にしたつもりです．今後，さらに皆様に役立つように改訂できればと思っています．本書を読まれたご意見などをいただければありがたいです．

2021 年 9 月

帝京平成大学大学院
健康科学研究科 特任教授

児玉 浩子

第1章　子どもの健康と食生活

1　乳幼児の食生活の現状― 2015（平成27）年度乳幼児栄養調査から……………… 2
2　乳幼児の栄養アセスメント…………………………………………………………… 6
3　朝食欠食の問題と対応………………………………………………………………… 10
4　偏食の弊害と対応……………………………………………………………………… 14
5　噛まない子の問題と対応……………………………………………………………… 16
6　孤食の弊害と対応……………………………………………………………………… 20
7　世界の子どもたちの食生活…………………………………………………………… 22

第2章　栄養・食に関する基本的知識

1　消化吸収の仕組み……………………………………………………………………… 26
2　栄養の基礎知識………………………………………………………………………… 28
3　たんぱく質の代謝と栄養学的意義…………………………………………………… 30
4　糖質の代謝と栄養学的意義…………………………………………………………… 32
5　脂質の代謝と栄養学的意義…………………………………………………………… 34
6　ビタミンの代謝と栄養学的意義……………………………………………………… 36
7　ミネラルの代謝と栄養学的意義……………………………………………………… 38
8　食物繊維と水分………………………………………………………………………… 40
9　日本人の食事摂取基準の意義と活用………………………………………………… 42
10　妊婦・授乳婦の食事摂取基準………………………………………………………… 44
11　乳幼児の食事摂取基準………………………………………………………………… 46
12　学童・思春期の食事摂取基準………………………………………………………… 47

第3章　子どもの発育・発達と栄養・食生活

1	授乳・離乳の支援ガイド	50
2	乳幼児の咀嚼機能の発達と食事提供	52
3	乳幼児の味覚機能の発達と食事提供	54
4	乳幼児の消化吸収機能の発達と食事提供	58
5	乳児期栄養	
	a. 乳汁栄養	62
	b. 離乳食期栄養	69
6	幼児期栄養	74
7	学童・思春期の栄養	80

第4章　食育の基本と実践

1	食育基本法の概要	88
2	食育基本法に基づく第4次食育推進基本計画の概要	90
3	保育所における食育の推進	94
4	保育所における食育推進の計画・実施・評価	96
5	学校給食の現状	104
6	栄養教諭	106

第5章　児童福祉施設や家庭における食と栄養

1	児童福祉施設における食に関する指針	110
2	児童福祉施設と給食の役割	111
3	児童福祉施設での食事の提供で注意すべき点	112
4	保育所における食に関する保護者支援	114
5	食に関する地域との連携	115

第6章　食の安全

1	感染症と食中毒の違い	118
2	食中毒の発生状況と予防策	124
3	施設における衛生管理	130

第7章　特別な配慮を要する子どもの食と栄養

1	食物アレルギー	136
2	鉄欠乏性貧血	139
3	糖尿病	140
4	発熱	141
5	体調不良	142
6	急性胃腸炎	144
7	便秘	146
8	肥満	148
9	やせ	150
10	障がい児	151

資料 …………… 155　　　　索引 …………… 177

コラム　知っておきたい食のお話

丈夫な歯で食事を楽しもう	9
大人の朝食欠食問題	13
食事の基本は箸の使い方から	19
和食の献立と配膳・食べ方の基本	24
賞味期限と消費期限の違い	48
仕上げ磨きの基礎知識	61
日本の年間行事食	86
新年を祝うおせち料理	89
給食にも取り入れられている郷土料理	105
ひな祭りと祝いの料理	108
子どもの日と祝いの料理	116
日本の食に欠かせない大豆	134

こんなとき，どうする？

Q&A　保護者からのよくある質問に対して保育者としてどう対応すればよいのでしょうか？

154

執筆者一覧 (五十音順)

［編集・執筆］

児玉　浩子 ──────────── 2章1〜8, 7章1・3〜6・10

帝京平成大学大学院　健康科学研究科　特任教授

［執筆］

太田百合子 ──────────── 3章5b・6, 5章, 7章2・7〜9

東洋大学　ライフデザイン学部　生活支援学科　非常勤講師

風見　公子 ──────────── 1章, 3章1・2・4・5a

東京聖栄大学　健康栄養学部　管理栄養学科　教授

小林　陽子 ──────────── 3章3, 4章1〜4, 6章

東京聖栄大学　健康栄養学部　管理栄養学科　教授

藤澤由美子 ──────────── 2章9〜12, 3章7, 4章5・6

和洋女子大学　家政学部　健康栄養学科　教授

第1章

子どもの健康と食生活

第1章 子どもの健康と食生活

section 1 乳幼児の食生活の現状
——2015（平成27）年度乳幼児栄養調査から

- 厚生労働省が10年ごとに行っている乳幼児栄養調査は，全国の乳幼児の栄養方法および食事の状況などの実態を調査し，授乳・離乳の支援，乳幼児の食生活の改善のための基礎資料を得ることを目的としている．
- 2015年度乳幼児栄養調査（対象：3,871人）の結果[*1]から，乳幼児の食生活の現状を探りつつ，授乳期の栄養，離乳食の状況，食事の状況など，子どもの生活習慣と親の生活習慣などについてそれぞれの問題を考えていく（この項目のデータはすべて2015年度乳幼児栄養調査からの引用である）．

*1 http://www.mhlw.go.jp/stf/seisakunitsuite/bunya/0000134208.html

授乳期の栄養方法について

- 母乳を与える割合（母乳栄養，混合栄養の合計）は，生後1か月では96.5％，3か月では89.8％である（❶）．授乳について困ったこと（❷）からみても，母親はできるだけ，母乳を飲ませたいと考えていることがうかがえる．

母乳栄養 → p.62

混合栄養 → p.68

人工栄養 → p.65

離乳食の状況について

- 離乳食の開始時期および完了時期：開始時期は6か月が44.9％と最も高く，2005

❶ 授乳期の栄養方法（回答者：0～2歳児の保護者）

1か月	母乳栄養 51.3	混合栄養 45.2	人工栄養 3.6
	96.5		
3か月	54.7	35.1	10.2
	89.8		

❷ 授乳について困ったこと（回答者：0～2歳児の保護者） （％）

内容	母乳栄養	混合栄養	人工栄養
母乳が足りているかどうかわからない	31.2	53.8	16.3
母乳が不足ぎみ	8.9	33.6	9.3
授乳が負担，大変	16.6	23.7	18.6
人工乳（粉ミルク）を飲むのをいやがる	19.2	15.7	2.3
外出の際に授乳できる場所がない	15.7	14.4	2.3
特にない	30.4	11.8	30.2

年度よりピークが 1 か月遅くなっている．完了時期は，13〜15 か月が 33.3％となっており，こちらも 2005 年度よりピークが遅くなっている（❸）．

- **離乳食について困ったこと**：離乳食について困ったことは，「作るのが負担，大変」33.5％，「もぐもぐ，かみかみが少ない（丸のみしている）」28.9％，「食べる量が少ない」21.8％の順だった（❹）．困ったことが「特にない」と回答した者の割合は 25.9％であり，約 75％の保護者は離乳食について何らかの困りごとを抱えていた．

> **話し合ってみよう**
>
> 離乳食について困ったことの 1 位は「作るのが負担，大変」となっている．解決策を考えてみよう．

食事の状況について

- **授乳や食事について不安な時期**：出産直後がピークで，その後減少，離乳の始まる 4〜6 か月頃から上昇し始め，1 歳前後の離乳が終了する頃に高くなる傾向がある．
- **子どもの食事で特に気をつけていること**：2〜6 歳児では，「栄養バランス」が 72.0％，「一緒に食べること」が 69.5％と高い割合を占める．次いで「食事のマナ

❸ 離乳食の状況（回答者：2005 年度 0〜4 歳児の保護者，2015 年度 0〜2 歳児の保護者）

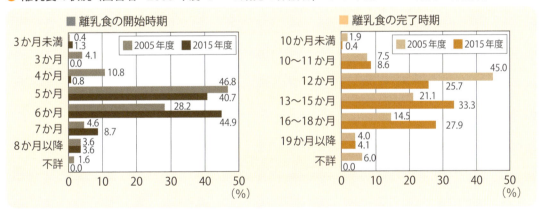

❹ 離乳食について困ったこと（回答者：0〜2 歳児の保護者）

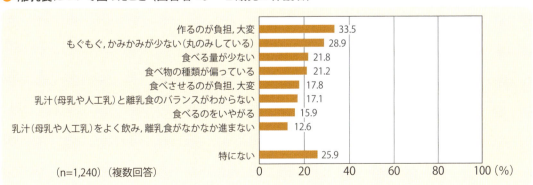

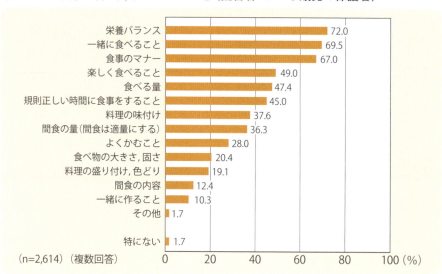

❺ 子どもの食事で特に気をつけていること（回答者：2～6歳児の保護者）

- 「ー」が67.0％と高い（❺）.
- 現在子どもの食事で困っていること：2～3歳未満では「遊び食べをする」と回答した者の割合が41.8％と最も高い．3～4歳未満・4～5歳未満・5歳以上では「食べるのに時間がかかる」と回答した者の割合が最も高く，それぞれ32.4％，37.3％，34.6％であった（❻）.
- 子どもの主要食物の摂取頻度：穀類やお茶など甘くない飲料は，ほぼ毎日2回以上摂取されているが，毎日3食摂取することが望ましい果物や野菜の摂取が低い傾向になっている（❼）.

話し合ってみよう

困っていることに対してどのように支援すればいいか考えてみよう．

子どもの生活習慣と親の生活習慣について

- 子どもの起床時刻と就寝時刻：子どもの起床時刻は午前7時台が最も多く，就寝時刻は午後9時台が最も多い．いずれも全体の5割弱を占めている．
- 子どもの朝食習慣：親の朝食習慣が関連しており，「ほぼ毎日食べる親」よりも「ほとんど食べない親」の場合のほうが子どもの欠食率が高くなる傾向にある．
- 栄養方法などの考え方は時代によって変化がみられる．親の生活環境，食に対する考え方の違いや，ベビーフードなどの食品の開発の進歩などが，子どもの食へ影響を与え，それが将来の食事にもつながっていく．

❻ 現在子どもの食事で困っていること（回答者：2～6歳児の保護者）

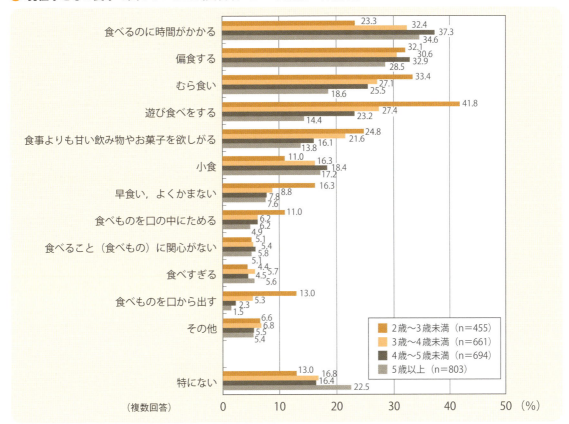

❼ 子どもの主要食物の摂取頻度（回答者：2～6歳児の保護者）

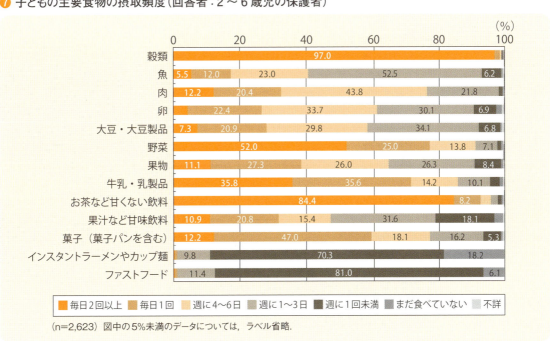

第1章 子どもの健康と食生活

section 2　乳幼児の栄養アセスメント

- 栄養アセスメント（nutritional assessment）とは，対象者の栄養状態を総合的に評価，判定することである（❶）．異常のある場合は医療機関を受診するように勧める．

乳児の栄養アセスメント

*1
身体発育（体重，身長，頭囲），精神発達（ことばの発達，対人関係など），運動機能（座る，一人で歩く，走るなど）など．

- 基本的には臨床診査で発育・発達状態[*1]に問題がないかを確認する．
- 身体計測として身長，体重，頭囲を測定する．必要に応じて胸囲，皮下脂肪厚も測定する．
- 母子健康手帳に記載されている乳児身体発育パーセンタイル値で，身長と体重が順調に増加していることを確かめる．基準範囲以下・以上の場合は精査を受けるのが望ましい．
- 身長と体重のバランスを確認するものとしてカウプ指数がある．

カウプ指数・・・乳幼児の肥満度の判定に用いられる

$$\frac{体重(g)}{身長(cm)^2} \times 10$$

（カウプ指数）	13	14	15	16	17	18	19	20	21
乳児（3か月以後）	やせすぎ		やせぎみ		普通		太りぎみ		太りすぎ
満1歳									
1歳6か月									
満2歳									
満3歳									
満4歳									
満5歳									

（今村．2000年；巷野悟郎編．子供の保健．第7版追補．東京；診断と治療社；2018.）

- 食事摂取調査として，栄養法（母乳栄養，混合栄養，人工栄養），哺乳量，離乳食の摂食状況を確認する．
- 栄養関連の問診では，子どもを取り巻く環境（たとえば親の生活リズム）も含めて把握しておくことが大切である（❷）．

❶ 栄養アセスメントにかかわる検査

| 身体計測 | 臨床検査 | 食事摂取調査 | 臨床診査 |

❷ 栄養関連の問診内容

1. 出生歴	● 在胎週数 ● 出生時体重，身長，頭囲，胸囲 ● 出生時，仮死など問題はなかったか？
2. 既往歴	● 先天性疾患，慢性疾患（慢性腎炎など），感染症（風邪など） ● アレルギー疾患（特に食物アレルギー）
3. 家族歴	● 両親や兄弟・姉妹の体格 ● 遺伝しやすい疾患（アレルギーなど）
4. 成長発達	● 成長曲線，運動発達，精神発達
5. 食歴	● 乳児期の栄養（母乳・混合・人工栄養） ● 離乳食の開始時期，終了時期，そのときの問題点 ● 現在の食事はどのようなものを食べているか？　問題点はないか？ ● 好き嫌い，偏食，間食（どのようなお菓子をどのタイミングで食べさせているか） ● 食物アレルギーの有無，ある場合の食事内容
6. 養育歴	● 家族構成は？ ● 保護者の生活リズム（就寝時刻，起床時刻）および食生活 ● いつ，どこで，誰と食事をしているか？ ● 子どもをたたくことはないか？ ● お父さんはどれぐらい育児をしているのか？ ● 祖父母との関係はどうか？ ● 育児における不安点はないか？
7. 症状	● 食欲があるか？ ● 便秘，下痢など便性はどうか？ ● 皮膚などに問題（外傷ややけどの跡，皮膚炎など）がないか？
8. その他	● 栄養に関する知識がどの程度あるか？ ● 運動習慣はあるか？ ● ストレスのある生活をしているか？ ● イライラすることはないか？

🧍 保育士が見てわか
るアセスメント
⋯⋯⋯⋯⋯⋯⋯⋯⋯⋯⋯
→ p.8

第1章　子どもの健康と食生活

幼児の栄養アセスメント

♂**食物アレルギー**
→ p.136

♂**貧血**
→ p.139

＊2
みかん，にんじん，カボチャなどの食べすぎで，皮膚が黄色くなる状態．肝障害の黄疸との違いは，柑皮症では眼球結膜は黄染しないが，肝障害では眼球結膜も黄染する．

♂**くる病**
→ p.37

♂**虐待**
→ p.150

♂**やせ**
→ p.150

♂**肥満**
→ p.148

- 乳児期と基本的には同様である．
- 栄養障害や食物アレルギーが疑われる場合は，医療機関を受診するように勧める．

保育士が見てわかる栄養アセスメント

- 気になる所見と疑われる疾患などは，次のとおりである．
    - ▶ **顔色**：蒼白……………………………………………………貧血
    - ▶ **皮膚**：肘関節などの掻き壊し………………………アトピー性皮膚炎など
        口周囲・指の湿疹………………………………………亜鉛欠乏
        手のひらが黄色い……………………………柑皮症＊2，黄疸，肝障害
        不潔，やけどの跡，外傷など…………………………虐待
    - ▶ **眼**：眼球結膜（黒目のまわりの白い所）が黄色い……黄疸，肝障害
        眼瞼結膜（アカンベーをしたときの瞼の裏）が白っぽい
        …………………………………………………………貧血
    - ▶ **爪**：白っぽい…………………………………………………貧血
    - ▶ **足**：O脚，X脚 …………………………………………くる病
    - ▶ **体重・身長のバランス**………………………………やせ，肥満

知っておこう！
Notice!

母子健康手帳

　母子健康手帳（母子手帳）とは，妊娠の届出をすることにより，各自治体から交付される手帳のことである．母親の妊娠期から育児期までの健康管理のために用いられ，下記の内容が記入される．

- 母親の妊娠中の経過
- 母親の出産後の回復状態の記録
- 子どもの出生時の記録
- 子どもの出生後の体重変化や，授乳状況の記録
- 乳幼児健康診査の結果の記録
- 予防接種の記録　など

　巻末の「乳幼児身体発育曲線」から，子どもの発育状況を客観的に判断でき，また，上記の記録を基に，家族や保健医療従事者とのコミュニケーションツールとしても活用できる．
　2012（平成24）年度から新様式となり，「便色の確認の記録（便色カード）」のページが設けられたりしている．

丈夫な歯で食事を楽しもう

栄養バランスや食材の使い方はもちろんのこと，健康な歯を保つことも重要なポイント．乳歯の生える順番や，むし歯菌へのケアを知っておこう．

乳歯の生える順番

乳歯が生えてくるのは生後3か月〜9か月と，個人差がかなりある．乳歯は全部で20本で，次のような順番で生えてくる．

6〜7か月ごろ
下の前歯が成長してくる

歯茎が傷つかないように清潔なガーゼなどで拭く

8〜11か月ごろ
下の歯に加えて，上の前歯2本も生えそろう

歯が生えそろってきたら，拭き取りだけでなく乳児用歯ブラシでも磨く

1歳ごろ
上下の前歯が4本ずつ生える．奥歯（第1臼歯）が成長してくる

本数も増えてくるので歯の隙間の食べかすに注意して，仕上げ磨きをする

1歳半ごろ
上下の奥歯（第1臼歯）が生えそろう．乳犬歯も成長してくる

歯科検診を受ける時期．仕上げ磨きは子どもが安心できるように声をかけながら行う

2歳ごろ
上下の奥歯（第2臼歯）が成長してくる

子どもの好きな味の歯磨き粉などを使って，歯磨きが嫌いにならない工夫をする

3歳ごろ
すべての乳歯が生えそろう

歯磨きとうがいの手本を見せながら，自発的な行動を促す．まだまだ仕上げ磨きは必要

むし歯にさせないために

むし歯菌は親の唾液から子にうつるため，同じ食具，食器は使わない．また，むし歯菌の栄養源となる糖質の多いおやつなどは控える．ジュースではなく，普段からお茶などを飲ませる習慣をつくる．食後の仕上げ磨きを忘れない．歯のエナメル質を補修する力をもつフッ素を塗布するといった方法もある．乳歯のむし歯は永久歯の歯並びにも影響してしまうので，早いうちからのケアを忘れないようにしよう．

第1章 子どもの健康と食生活

section 3 朝食欠食の問題と対応

朝食の必要性

- 朝食を食べることは1日の始まりであり，生活リズムをつくる大切な役割をもっている．朝食は体の目覚まし時計といえる．
- 「いただきます」と声を出すことで声帯を刺激し，箸を持って体を動かすことで手の筋肉を刺激し，食べて胃や腸を刺激することで，目覚めることができる．
- 毎日3回規則的に食事を摂る生活を続けていると，食事時間が近づくことで自然と消化・吸収にかかわるホルモンの分泌が高まり，消化酵素の分泌や胃腸の運動も活発になる．
- 朝食前，血糖値はかなり下がっている．これは，睡眠中に体温を調節したり，内臓を働かせたりしているためである．また，体温も昼間よりも下がっている．血糖値や体温が上がらないと活動する力が出ない．朝からしっかりと遊んだり，勉強したりするためにも，脳のエネルギー源となるブドウ糖を多く含む，ごはんやパンを中心とした朝食が欠かせない．
- 朝食を抜くとかえって肥満傾向になりやすい[*1]．
- 朝食に欠食がある割合は子ども 6.4%，保護者 18.6% である．起床時刻・就寝時刻が遅くなるほど，欠食の割合は高率になる．また，保護者の朝食習慣に欠食がある場合には，子どもも欠食の傾向がある（❶〜❸）．
- 小学生・中学生ともに朝食欠食の多い子どもは，学力調査の平均正答率が低い（❹）．

> **話し合ってみよう**
> 「いただきます」「ごちそうさま」の意味を子どもたちにもわかるように説明してみよう．

*1 たとえば，力士は1日2食であの体を作るという．1日の食事回数を減らすと消化吸収力が高まり，異常な食欲が出るともいわれている．

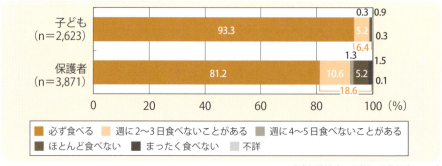

❶ 朝食習慣（子ども・保護者）（回答者：子ども 2〜6歳児の保護者，保護者 0〜6歳児の保護者）

（厚生労働省．乳幼児栄養調査 2015．）

❷ 子どもの起床時刻別 朝食を必ず食べる子どもの割合（回答者：2〜6歳児の保護者）

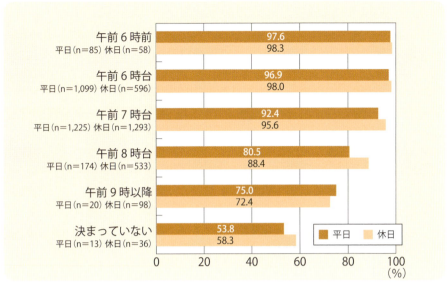

（厚生労働省. 乳幼児栄養調査 2015.）

❸ 子どもの就寝時刻別 朝食を必ず食べる子どもの割合（回答者：2〜6歳児の保護者）

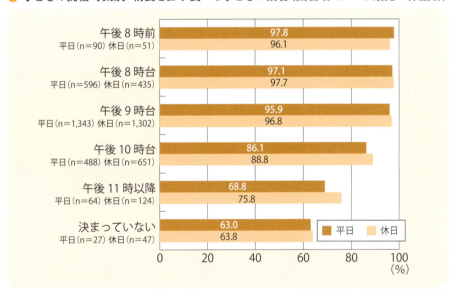

（厚生労働省. 乳幼児栄養調査 2015.）

朝食欠食の発見と対応

- 連絡帳で朝食摂取の有無，内容を確認する．
- 特に午前中元気のない子に注意する．
- 保護者に朝食の必要性を理解させる．子どもの生活習慣を保護者にあわせるのではなく，保護者が子どもにあわせる努力が必要であることを伝える．

話し合ってみよう

自分たちの朝食習慣についても話し合ってみよう．

第1章　子どもの健康と食生活

❹ 朝食の摂取と学力調査の平均正答率との関係

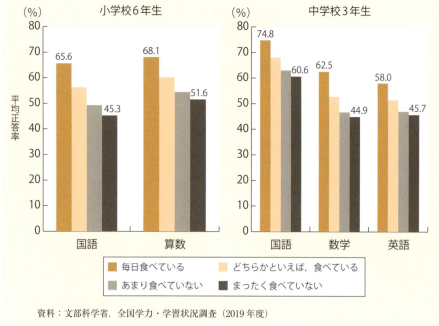

考えてみよう

朝食を食べてこない子ども達にはどんなわけがあり，どのように改善していけばよいか考えてみよう．

資料：文部科学省．全国学力・学習状況調査（2019年度）

（農林水産省．食育白書．2020．）

*2
「早起きは三文（さんもん）の得（とく）」早く起きるとよいことがあるという意味のことわざ．

- 子どもに朝食を食べる習慣をつけさせる．早寝早起きの習慣が大切である[*2]．
- 初めから，主食，主菜，副菜のそろった食事の準備は難しいので，バナナ，おにぎり，ヨーグルトなどの単品から，徐々に短時間でできる一皿料理を勧めていく．

単品から，一皿料理への一例

野菜，チーズのリゾットなど

知っておこう！ Notice!　いただきます，ごちそうさまの意味

食事を始める時の「いただきます」には2つの意味がある．1つめは，食材への感謝の気持ち．2つめは，食事に携わってくれた人たちへの感謝の気持ち．
また「ごちそうさま」を漢字で書くと「御馳走様」となる．「馳走」は走りまわるという意味で，もてなすために奔走する様子．食事を準備してくれた人たちへの感謝を込めて「様」がつき，食事のあとに「ごちそうさま」と挨拶するようになったといわれる（諸説あり）．

大人の朝食欠食問題

> 20〜30代を中心とした世代の朝食欠食率が高まっている．これから親となる世代の食習慣が子どもたちへの悪影響とならないよう，デメリットを知ったうえで対処方法を考えてみよう．

4つのデメリット

体温が上がらない

消化管の筋肉運動によって熱が産生され，体温が上がる．体温が上がらないと活力は低下したままで，日中の眠気の原因にもなる．

便秘をまねく

食事をすることで，腸へ刺激が送られ排便のためのぜん動運動が起こる．朝食抜きにより，排便リズムが乱れる．

午前中，集中力が出ない

脳の唯一のエネルギーであるブドウ糖が不足気味となり，集中力が低下してしまう．

肥満の原因になる

食事回数が減ると体が飢餓状態となり，エネルギーを脂肪として貯め込みやすい体質になってしまう．

朝食欠食・理由別の対処法

時間がない

飲み物など，簡単なものを少量ずつで始めて習慣化する．なるべくコーヒーといった刺激物は避けて，胃腸にやさしい乳製品などをとるとよい．

食欲がない

前日の夕食の時間が遅かったり，脂肪分の多い食物をとったりすると，朝起きても消化しきれずに食欲がわかない．夕食は軽めにして，なるべく早い時間に済ます．

習慣がない

「時間がない」の対処と同様に，簡単なものから始める．家での朝食にこだわらず，外食でもコンビニ食でも構わないので，「朝食をとる」習慣をつける．

炭水化物，たんぱく質，ビタミン，ミネラルのバランスが考えられた朝食が理想的．パン食なら，果物と乳製品をプラスするとよい．

第1章 子どもの健康と食生活

section 4 偏食の弊害と対応

- 偏食とは，好き嫌いが激しく，特定の食品だけを食べ，栄養素に偏りがある食事の状態である．

偏食の弊害

> カウプ指数
> → p.6

*1 人が生きていくうえで最低限必要なエネルギー量．

*2 生活習慣病とは，不適切な生活習慣がその発症や進行に関する病気（糖尿病，高血圧，脂質異常症，がんなど）

- **身体的特徴**：多くは，カウプ指数でやせに入る．少数ではあるが，反対に太りすぎになることがある．ビタミンやミネラルなどの栄養素が不足しやすくなり，肌荒れ，便秘，血行不良による末端の冷え，基礎代謝[*1]の低下，不眠などが起こる場合もある．その状態が継続することにより，将来，生活習慣病[*2]につながる可能性がある．
- **精神的特徴**：偏食を容認し続けるとわがままになり，意欲や好奇心などの心の発達や性格形成にも影響するといわれている．

偏食の原因とその対処方法

- **食べ始めの時期や食品の選び方に問題がある**：食品には適切な食べ始めの時期がそれぞれあり，それらの順序を間違えたり，食品の選び方，調理方法が適切でない場合に偏食になる．また，親自身が嫌いな食品を料理しないことによる偏食も見受けられる．子どもが小さな頃に食べなかったことにより，嫌いになる場合（食わず嫌い）もあるので，いろんな食材を万遍なく使うように気をつけるべきである．
    - ▶対処方法としては，子どもの消化能力，味覚や咀嚼力にあった適切な食品と調理方法を選択することが重要となる（❶）．また，それらの工夫によって少しでも多く食べられれば，ほめてあげることも大切である．

❶ 偏食を直す具体的な調理方法

❷ 食事を楽しむ工夫

- **不快な思い出がある**：その食品を食べたときの不快な思い出[*3]により偏食になる場合がある．
  ▶ 不快な思い出を塗り替えるには，調理方法の工夫に加え，食事をする場所を変えるなど，食事を楽しめる状況をつくることも一つの方法である（❷）．
- **反抗期である**：個人差はあるが，2歳前後になると自分を主張し始め，なんでも「イヤ！」と言うことがある．
  ▶ この時期は，成長の過程と考え，優しく見守り，少しずつ食べられるのを待つとよい．強い口調で叱るのは逆効果となる．
- **病気がある**：食物アレルギーによる場合やむし歯など，疾病による場合がある．
  ▶ この場合は治療を受け，医師の指示に従う．

嫌いな食材ランキング

◎幼児期前期（1〜2歳）
1位 野菜（全般・生）
2位 肉・牛乳・卵
3位 葉野菜

◎幼児期後期（3〜5歳）
1位 ほうれん草・ピーマン（緑野菜）
2位 野菜（全般）
3位 豆類

（参考：太田百合子監. これで安心幼児食大事典. 東京：成美堂出版；2003.）

[*3] 下痢をした，感触が気持ち悪かった，苦い，酸っぱいなど．

知っておこう！ Notice!　"楽しい食卓づくり"のための栄養素

①スマイル：お母さんのスマイルが引き出す家族のスマイル　②おしゃべり：家族（仲間）の情報交換の「場」　③香り："おなかがグーッと鳴る"香りの刺激が食欲をそそる　④温度：猛暑の折には冷えた素麺，寒い日にはアツアツの鍋物　⑤色：暖色（オレンジ・イエロー・レッド）は食欲増進の引き金

（田原卓浩. 偏食への対応. 小児内科 2008-9：40：1466.）

第1章 子どもの健康と食生活

噛まない子の問題と対応

- 近年，適切な時間に食べ終われない，口の中の食べ物（食塊）をいつまでも飲みこめないといった子どもや，その反対にほとんど噛まないで飲み込むように食べ終えてしまう子どもが増えてきている．
- 噛まない，噛めない子どもの増加は，食環境の変化，食の洋風化や噛む回数の少ない食事が増加していることにも一因がある．
- 日本咀嚼学会推奨の標語「ひみこの歯がいーぜ」は噛むことの重要性がわかりやすくまとめてある（❶）．よく噛まないとこれらの効用がうまく得られない．

食環境の変化

- 朝起きる時間が遅く，保育園へ登園する時間が迫っている，両親ともに始業時間が早いなどの理由で時間に余裕がなく，そのため食事の時間が短くなったり，食事を急がせてしまったりすることにより，噛まずに食べてしまうことがある．
- テレビを見ながら食事をすると，テレビに集中してしまい，噛まずに食べてしまうことがある．

洋風化・噛む回数の少ない食事の増加

- 子どもたちの好きな料理は洋風で，噛む回数の少なくてすむものが多い．
- 食事時にしっかりと噛むことを子どもに指導することが大事である．また，離乳食，幼児食も咀嚼能力にあわせて調理に変化をもたせなければならない．
- 成人と同様の硬さが食べられるようになるのは，小学校入学頃である．噛む回数の多い料理を意識して選択し，食事にとり入れていくことも必要になる．

口の中には入れるが飲み込まない

- 原因：お腹がすいていない．食べる量が少ないのにそれ以上に与える．
  テレビなど，他のものに気を取られている．
- 対応：食べるときにお腹がすくようにする．
  テレビを消すなど食事に集中できる環境にする．
  食事は決まった時間に，決まった時間内に食べる．

5 噛まない子の問題と対応

❶ 噛むことの効用「ひみこの歯がいーぜ」

（8020推進財団 https://www.8020zaidan.or.jp/info/effect8.html）

チュチュ食べ

- **原因**：眠いときに哺乳瓶やおっぱいの代わりに手をしゃぶるようになり，その代わりにする食べるときの動作.
- **対応**：食べるときにお腹がすくようにする.
  眠くないときに食べさせる.

飲み込むのが下手

- **原因**：飲み込むときにむせる.
  飲み込まずに口にためる.
- **対応**：子どもの咀嚼能力と食事の形態があっていない．もっと軟らかい物や小さくしたものを与えて練習するとよい.
  口の中いっぱいに入れるのではなく，一口の量の適量を教える.

硬い物がよく噛めない

♂ 離乳食の進め方
　→ p.69

- **原因**：軟らかいものばかりを与え続けると起こる.
- **対応**：少しずつ硬いものを食べる練習をする.
  年齢によっては，よく噛むことの必要性を教える.

よく噛まずに丸飲みする

- **原因**：スプーンを口の奥に入れすぎると丸飲みになりやすい.
  食品が硬すぎたり，細かすぎると丸飲みになる.
  前歯で噛み切る練習が不足すると丸飲みになりやすい.
  食欲旺盛で，早くたくさん食べたいと思うと丸飲みになる.
  むし歯があると，歯が痛いので噛まない.
- **対応**：摂食機能にあわせた調理方法にする必要がある.
  保育者や保護者が食べさせる場合も，一回の量と次に入れるタイミングが早くならないように気をつける.
  子どもが手に持ちやすい物(バナナなど)を与え，噛む練習をさせる.
  口の中いっぱいに入れるのではなく，一口の量の適量を教える.
  むし歯がないかなど，口の中を確認してみる.

知っておきたい 食のお話

食事の基本は箸の使い方から

家族で食事をする機会の減少からか，基本中の基本である箸の使い方が上手く身につけられていない子どもの姿がみかけられる．日本の食卓における礼儀作法や美意識を知ることは，人間性を育むという点でも大きな影響力をもつ．正しい使い方を指導して，マナーを守り，食事の時間をより楽しいものにしよう．

正しい箸の持ち方

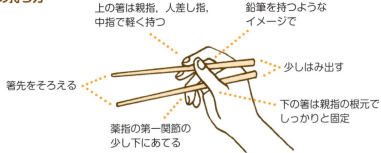

- 上の箸は親指，人差し指，中指で軽く持つ
- 鉛筆を持つようなイメージで
- 少しはみ出す
- 下の箸は親指の根元でしっかりと固定
- 薬指の第一関節の少し下にあてる
- 箸先をそろえる

してはいけない箸使い

迷い箸
どの料理を取るか迷って，あちこち動かす

寄せ箸
箸で器を寄せる

刺し箸
箸を突き刺して食べる

探り箸
箸で料理をかき回して，好きな物を取ろうとする

指し箸
食事中に人を箸で指す

立て箸
仏事のように，ご飯に箸を突き刺して立てる

箸渡し
箸と箸とで料理を受け渡す

ねぶり箸
箸についたものをなめる

第1章 | 子どもの健康と食生活

孤食の弊害と対応

*1
食事の準備，洗濯，掃除，化粧，新聞を読むなど．

- 孤食とは，一人で食事をすることを指す．また同じ部屋にいても家族が別の行動をしている*1 場合も含まれる（❶）．
- 孤食の対語として共食（家族全員で食事をする，誰かと一緒に食事をする）がある．

孤食の弊害

- 朝食の孤食が日常化している子どものなかには食欲，食事の楽しさ，食事内容，食行動，健康状態で問題を抱えているケースが多いことが指摘されている（❷）．
- 朝食が孤食となっている子どもでは，朝食の欠食，子どもだけで夕食を買う，食

❶ さまざまな孤食のケース

❷ 朝食共食タイプと食生活・健康とのかかわり　　　　　　　　　　　　　　（%）

			調査日の朝食の状況				
			家族全員で食べる (260)		一人で食べる (545)		一人がよい (135)
食欲・楽しさ	食欲	朝　すいていない	9.3	<	14.3		17.8
		夕　すいていない	5.5	<<	5.2		10.5
	楽しさ	朝　つまらなかった	17.0	<<	39.5		44.4
		夕　つまらなかった	13.7	<<	42.0		
食事内容		朝食に主食・主菜・副菜料理がそろわない	23.5	<	46.5		47.4
		夕食に主食・主菜・副菜料理がそろわない	22.0	<	25.5		28.1
食行動		朝食欠食（いつも又は時々食べない）	13.6	<<	30.7	<	42.2
		子どもだけで夕食を買う	19.7	<<	36.4	<	42.2
		食事の手伝いをしない	57.1		62.4		60.7
健康		不定愁訴*の症状あり（4項目以上）	34.2	<	41.6		42.4

*：明確な原因がないのに体に不調を訴えること．肩こり・めまい・腰痛など．
< : $p < 0.05$．<< : $p < 0.01$．
(足立己幸．家族と"食を共にすること"共食の大切さ．内閣府食育推進室「親子のための食育読本」2010.)

事の手伝いをしないといった問題が，共食の子どもに比べて多くみられる．食事の不満足度をあらわす「食事がつまらなかった」「お腹がすいていない」との回答も高い割合を示した．また，「いらいらすることがある」「頭が痛くなりやすい」「だるくなりやすい」「夜よく眠れない」「風邪をひきやすい」「心配ごとがある」などの不定愁訴を訴える子どもの割合も高かった．孤食は，子どもの体だけではなく，心の健康にも悪影響を与えていることがわかる．

共食のすすめ

- 厚生労働省が2021（令和3）年に発表した第4次食育推進基本計画の食育の推進に当たっての目標(2)に"家族との共食"（目標値：週11回以上）が示されている．
- 共働きや一人親の場合もまず，家族一緒に週1回は共食し，それができたら，週3回，そして1日1回食事を一緒にすることを目指し，最終的には週11回以上を目指すとよい．多くの場合，親の生活習慣を少し変更することで，少なくとも休日は一緒に食事をすることが可能となる．
- 保育所，幼稚園，小学校などでも楽しく食事ができるよう，教職員が心がけることが大切となる．
- 共食には次のような利点がある．
  - 家庭の食事では，その日の子どもの状況がわかる（身体面，精神面）．
  - 会話など，コミュニケーションを多くとることが，家族関係，人間関係の形成に役立つ．
  - 家族そろっての食事は，二世代，または三世代の構成で成り立っており，それぞれの年代にあった料理が食卓にあがるので，料理数が増加する傾向にある．
  - 大勢で食べることで食事の時間が楽しくなる．

→ 第4次食育推進基本計画
→ p.90

知っておこう！ Notice!
よく用いられる孤食以外の「こしょく」

個食：それぞれが別々のものを食べること．
子食：子どもたちだけで食べること．
固食：同じものばかり食べること．固定食．
粉食：パンや麺などの粉から作られたものばかり食べること．
濃食：外食などに多くみられる濃い味付けのものばかり食べること．
小食：食事の量が少ないこと．

第1章 子どもの健康と食生活

section 7 世界の子どもたちの食生活

飽食と飢餓

肥満
→ p.148

- 日本ユニセフ協会の「世界子供白書2019」によると，世界の5歳未満児の少なくとも3人に1人に相当する2億人が，栄養不足や過体重であると報告している．
- 生後6か月から2歳までの子どものおよそ3人に2人が，この時期の子どもの身体や脳の急速な成長に必要な食べ物を得ることができず，子どもは，脳の発達の遅れ，学習の遅れ，免疫力の低下，感染症の増加，そして多くの場合，死に至るリスクにさらされていると述べている．
- 低所得国および中所得国の学校に通う若者の42%が，1日に少なくとも1回は糖分の入った炭酸飲料水を摂取し，46%が，1週間に少なくとも1回はファストフードを食べており，これら割合は，高所得国の若者になるとさらに高くなり，それぞれ前者が62%，後者が49%となっている．その結果，2000～2016年の間に，5～19歳の子どもの過体重の割合は，10人に1人から5人に1人と2倍となった．この年代の子どもたちの現在の肥満の割合を1975年当時と比較すると，女の子は10倍，男の子は12倍に増えている．
- あらゆる形態の栄養不良のいちばん大きな負荷がかかっているのは，最も貧しい，最も疎外されたコミュニティの子どもや若者であることにも言及しており，たとえば，最も貧しい家庭では，健全な成長に必要な多様な食事を摂ることのできる生後6か月から2歳までの子どもは，わずか5人に1人だった．英国のような高所得国であっても，過体重の蔓延は，所得の低い地域のほうが，所得の高い地域の2倍以上となっていた．

話し合ってみよう
日本でも「子どもの貧困」が問題になっている現状を話し合おう．

子どもたちが栄養不良になる原因

- **食べ物が手に入らない**：貧しい．戦争や災害で食べ物があまりない．
- **栄養の知識がない**：親に栄養の知識がなく，同じものばかり食べさせてしまう．栄養の偏った食生活をしてしまう．
- **摂取しにくい栄養素がある**：ヨウ素やビタミンAなど，地域によってとりにくい栄養素がある．
- **母親が栄養失調である**：お腹の中で十分な栄養がとれずに生まれてしまうことがある．
- ユニセフ（UNICEF；国際連合児童基金）が中心となって実施している栄養素欠乏状況を改善する方策を❶に示す．

マラスムス
→ p.29

クワシオルコル
→ p.29

7 世界の子どもたちの食生活

❶ 世界で問題になっている栄養素欠乏時の症状と改善策

栄養素	不足時の症状	改善策
ビタミンA	● 体の抵抗力をつけるために欠かせない．不足すると免疫力が低下する． ● 夜盲症など眼病の原因にもなり，失明することもある．	高単位ビタミンAのカプセルを年2回飲ませる．
鉄	● 不足すると貧血となり免疫機能が損なわれ，心身の機能が低下する． ● 鉄欠乏の母親の場合，出産時に大量出血の危険性がある． ● 鉄欠乏性貧血の母体から生まれた子どももまた貧血であることが多く，体の発育や知能の発達が損なわれる危険がある．	妊婦に鉄分のサプリメント補給や，小麦粉など日常的に食するものに鉄分を添加し栄養強化型の食品を普及させる．
たんぱく質	● 骨，筋肉，血液，心臓などすべての体の要素となる大切な栄養素． ● 不足すると成長が止まり，歩かない，話さないなどの発育障害となる．極端なものとして，マラスムスという特にエネルギー欠乏症の著しい飢餓状態となり，たんぱく質の欠乏の強い場合をクワシオルコルという．	幼い子どもを持つ母親を対象に栄養教室や料理教室を実施する．
ヨウ素	● 甲状腺の働きを支えるために欠かせない栄養素．海藻などに多いので，内陸部や山岳地帯などで不足が多く，甲状腺腫などになりやすい． ● ヨウ素欠乏症の母親からは，知能障害を伴う恐れのあるクレチン症[*1]の子どもが生まれる可能性がある． ● 軽度の不足でも知能指数が10〜15ポイント低下し，筋肉運動の調整ができなくなったり，気力が低下する症状がみられる．	ヨウ素を添加した塩の普及．

（参考：日本ユニセフ協会 http://www.unicef.or.jp/special/eiyo/keyword.html）

[*1] 先天性甲状腺機能低下症のことで，新生児マス・スクリーニング対象疾患である．原因は甲状腺の形成不全が多いが，まれに母親のヨウ素不足でも生じる．

話し合ってみよう！ discussion!

次の話を聞いてどう思いますか？
私たちにできることはありますか？

　アフリカのとある国のお話です．もうすぐ3歳になるダルエスサラームは，あまり元気がなく近所の子どもに比べると発育発達が遅いので，母親は「何が問題なのかしら？」と，とても心配していました．早く元気になるように毎日パップ（とうもろこしの粉と水を火にかけて30分程かき混ぜた食物．主食として食べられる）をたくさん食べさせていました．ある日，栄養指導員がやってきて「ダルエスサラームはどうしちゃったの？　元気がないわね．毎日何を食べているの？」と聞くので，母親はパップを持ってきてみせました．「ほかに食べているものはないの？　豆や野菜は食べていない？」と栄養指導員に聞かれると，母親は「ない」と答えました．栄養指導員は，とうもろこしの粉には必須アミノ酸であるリジンとトリプトファンが不足していることを知っています．この不足している栄養素は豆を食べることにより解消できます．

　ダルエスサラームの状態は明らかに必須アミノ酸（たんぱく質）不足です．たんぱく質は成長を促す栄養素で，不足すると発育障害を招くのです．さて，このような場合どうすればよいでしょうか？

> まずは母親に栄養の知識を与えることが必要です．その場で豆や野菜を一緒に食べたほうがよいことを教えるのもよいでしょう．また，栄養教室などに誘うのもよいでしょう．母親の栄養に対する知識が増え，食事内容が変われば，ダルエスサラームは元気になっていくことでしょう．

和食の献立と配膳・食べ方の基本

> 日常的な和食の献立は，ご飯に汁物，主菜に副菜と副々菜の「一汁三菜」が基本とされている．また配膳にも基本となる形がある．歴史が育んだ食作法を，普段の食事から意識しておこう．「和食」はユネスコ無形文化遺産に 2013 年に認定されている．

献立は一汁三菜で

　ご飯や香の物（漬物）は品数には入れない．この献立にすることで，多くの食材を使うことができ，栄養のバランスもよくなる．主菜にはたんぱく質豊富な肉や魚を，副菜にはビタミンやミネラルを含む野菜，海藻類，きのこ類などを組み合わせるとよい．

配膳はご飯を左に

　ご飯は左手前，汁物は右手前，主菜は右奥，副菜は左奥，酢の物やおひたしなどの副々菜は真ん中に配膳するのが基本となる．食べやすく，作法としても美しいことから，この形になったといわれているが，主食となるご飯が左なのは，昔から左を上位とする日本文化に由来するとの説もある．

食べ方

　汁物・ご飯・おかずと順番に箸をつけたら，今度はまた同じ順番で繰り返し料理を食べ進める．この食べ方は「三角食べ」とも呼ばれ，和食のマナーで正しい食べ方とされている．

第2章

栄養・食に関する基本的知識

第2章 栄養・食に関する基本的知識

section 1 消化吸収の仕組み

*1
小腸：十二指腸，空腸，回腸からなり，約6mでからだの中で最も長い．

*2
大腸：虫垂，上行結腸，横行結腸，下行結腸，S字結腸，直腸からなる．

- 口から食べた食物は，消化器官を通過する過程で，消化・吸収され，その残りが便として排泄される．消化器系は2つの臓器系からなる．
- 1つは消化管で，口腔，咽頭，食道，胃，小腸*1，大腸*2，肛門などからなり，食べ物が通過し，消化・吸収する管である．もう1つは消化・吸収を助ける臓器で，歯，舌，唾液腺，肝臓，膵臓などである（❶）．それぞれの消化器の機能を❷に示す．
- 直腸に便がたまると，直腸壁が伸展し，排便反射が起こり，肛門括約筋が弛緩し，排便する．
- 健康児の便の特徴には次のようなものがある．
  - ▶ **胎便**：生後2，3日の排便．暗緑黒色で，ねばねばし，無臭である．子宮内で飲み込んだ羊水，脱落した腸の上皮細胞，胆汁が含まれる．
  - ▶ **母乳栄養児の便**：黄色〜山吹色，時に緑色．生後1か月ごろまでは，水様便（❹）．少量頻回で1日10回以上のことが多い．徐々に回数が少なくなり，有形になる．
  - ▶ **人工栄養児の便**：母乳栄養児に比べて，回数は少なく，有形便である．

❶ 人体の消化器官

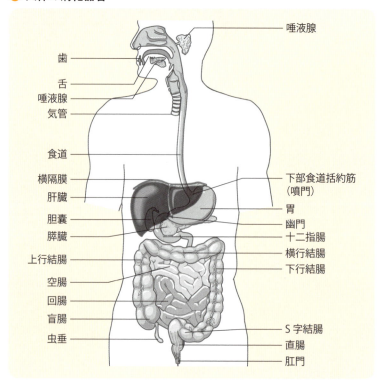

🔑 虫垂炎

虫垂内腔の閉鎖・狭窄や虫垂の細菌感染が原因で，発熱と腹痛（心窩部痛から右下腹部痛に移行する），嘔吐を主症状とするものを急性虫垂炎という．かつては盲腸炎とも呼ばれた．軽症では抗菌薬の投与で改善するが，手術を必要とする場合が多い．対応が遅れると穿孔して腹膜炎をきたし，重症になる．症状は38℃前後の熱，腹痛，下痢，嘔吐で，疑わしければ，すみやかに医療機関を受診する．

❷ 消化器官とその機能・特徴

	働き・特徴
口腔	・咀嚼して，固形食をかみ砕き，唾液と混ぜる． ・唾液は耳下腺，顎下腺，舌下線から口腔内に分泌される． ・唾液量：新生児は少ない．1歳で150mL/日，成人で1,000〜1,500mL/日．
食道	・口腔から胃に食べ物を運ぶ． ・下部食道括約筋(噴門)は胃の食べ物が食道に逆流するのを防ぐ． ・長さ：新生児 約10cm，成人 約25cm．
胃	・胃液を分泌し，食べ物を消化する． ・乳児の胃は，成人に比べて垂直傾向である．また，下部食道括約筋(噴門)が閉鎖不全である．そのために，胃内容物を嘔吐しやすい❸． ・容積：新生児 約50mL，成人 1,000〜3,000mL．
十二指腸	・膵臓からの膵液，胆道からの胆汁が流れ込む臓器． ・食物は膵液，胆汁と混ざり合い，消化される．
小腸	・十二指腸から送りこまれた食物のさまざまな栄養素と水分を吸収する． ・長さ：新生児 身長の約7倍，成人 約7m．
大腸	・小腸で吸収された食べ物の残り(残さ物)から水分を吸収し，便とする． ・便は直腸にたまり，肛門から排泄される． ・虫垂は大腸に分類される．草食動物にはとても重要な器官で，草の繊維を構成するセルロースを分解する細菌の棲息場所．ヒトではその機能は退化している．
肝臓	・胆汁の生成，解毒作用，各種栄養素の代謝． ・重さ：新生児 100〜150g，成人 1,500〜1,800g．
胆嚢	・肝臓で生成された胆汁を濃縮し，一時的に胆汁を蓄える． ・その後，胆汁は胆管を通り，十二指腸に分泌される．
膵臓	・膵液を生成する．膵液は膵管を通り，十二指腸に分泌される． ・重さ：新生児 3〜4g，成人 80g．

❸ 成人と乳児の胃

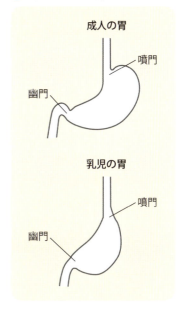

❹ 母乳栄養児の正常便

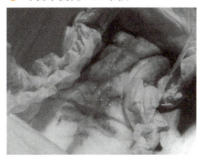

▶ **離乳食期の便**：便が固まってくる．色やにおいも大人の便に近づく．にんじん，ほうれん草，のりやひじきがそのまま出てくることがあるが，全体が不消化便でなければ心配ない．

- 次のような異常便がみられた場合は対応した処置が必要となる．
  - ▶ **血便**：下痢便に血液が混入しているときは，腸感染症を疑う．腸重積症では便にイチゴジャム様の鮮血が出る．異常ではないが，乳児で点状あるいは糸状の少量の血液が一過性にみられることがある．不消化便でなければ心配ない．
  - ▶ **タール便**：タールのような黒褐色便．胃や小腸上部で出血したときにみられる．すみやかに医療機関を受診する．
  - ▶ **水様粘液便**：いつもの便と異なり，粘液や灰白色のブツブツが混じっているときは，腸感染症を疑う．
  - ▶ **白色便**：ロタウイルス感染による下痢便は米のとぎ汁のような白色になる．また，肝障害や胆道の通過障害で胆汁が腸に分泌されないときにも白色便になる．

消化液(消化酵素)の働き
→ p.59

第2章 栄養・食に関する基本的知識

section 2 栄養の基礎知識

- 生命を維持し，活動するために利用する営みを「栄養（nutrition；ニュトリション）」と定義し，それに必要な成分を「栄養素」という．
- 食物には，さまざまな栄養素が含まれており，糖質，たんぱく質，脂質を3大栄養素といい，無機質（ミネラル）とビタミンを合わせて，5大栄養素という．5大栄養素はいずれも体に必要不可欠なものである．
- 栄養素は大きく6つの基礎食品に分けられる．さらに，体内での働きにより，3つに分類される（❶）．これらをバランスよく食べることが大切である．

小児に必要なエネルギー量

- 小児でのエネルギー消費の主な内訳は，基礎代謝量，身体活動，食事誘発性熱産生[*1]，便や尿への排泄，成長に要するエネルギーである（❷）．
- 小児が元気に成長するには，エネルギー消費に見合うエネルギー供給が必要である．糖質，脂質，たんぱく質は体内で代謝されてエネルギーを産生する．それぞれ1g当たり，糖質・たんぱく質は4kcal，脂質は9kcalのエネルギーを産生する．

[*1] 特異動的作用ともいう．摂取食物の消化・吸収などに使われるエネルギー．

❶ 6つの基礎食品群

		主な食品	摂取される主な栄養素	食物の3つの働き	
1群	魚, 肉, 卵	魚介類, 牛肉, 豚肉, 鶏肉とその加工品（ハムなど）, 鶏卵など	主として良質のたんぱく質, 副次的に脂質, 鉄, カルシウム, ビタミン	赤のグループ	主に体を作るもとになる
	大豆, 大豆製品	大豆, 納豆, 豆腐			
2群	牛乳, 乳製品	牛乳, ヨーグルト, チーズ	主としてカルシウム, 副次的に良質たんぱく質, ビタミン B_2, 鉄		
	骨ごと食べられる魚, 海藻類	しらす干し, めざし, わかめ, こんぶ, のり			
3群	緑黄色野菜	にんじん, ほうれん草, かぼちゃ, 小松菜, トマト	主としてカロテン, ビタミンC, B_2, カルシウム, 食物繊維, 鉄	緑のグループ	主に体の調子を整えるもとになる
4群	その他の野菜	きゅうり, もやし, たまねぎ, 大根, はくさい	主としてビタミンC, 副次的にB_1, B_2, カルシウム, 食物繊維		
	果物	イチゴ, ミカン, リンゴ			
	きのこ	えのき, しいたけ, しめじ			
5群	米, パン, めん類	ごはん, パン, うどん, そば, スパゲティ	糖質（エネルギー源）いも類は, ビタミンB_1, Cを比較的多く含む	黄色のグループ	主に体を動かすエネルギーのもとになる
	いも類	さつまいも, じゃがいも, さといも（砂糖, 菓子類も含まれる）			
	砂糖	上白糖, 黒砂糖, 和三盆糖[*2]			
6群	油脂	バター, マーガリン, 油	脂質（エネルギー源）		

[*2] 和三盆糖とは国産高級砂糖の一つ．四国などで生産される砂糖で，すっきりした甘さが特長．名前の由来は「盆の上で砂糖を三度とく」作成手法からくる．

エネルギー摂取異常とは

- 小児のエネルギー摂取異常を評価するのに，身体発育曲線（母子健康手帳にも収載）が有用である．この曲線上に，対象児の身長と体重をプロットすると栄養状態の評価になる．
- エネルギー摂取過剰は肥満になる．
- 小児のエネルギー摂取不足ではやせ（るいそう），成長（発育）障害をきたす．栄養失調症とは，栄養不良で体重が身長相当の標準体重[*3]の80％以下の状態をいう．
- エネルギー摂取は比較的保たれているが，たんぱく質摂取が著明に不足している状態をクワシオルコルといい，浮腫や腹水，低たんぱく血症，貧血，免疫能低下，発育・発達不全などがみられる（❸）．体重は標準体重の60〜80％である．
- マラスムスは，著明な栄養不良状態をいい，体重は標準体重の60％以下である．皮下脂肪の消失，しわの多い皮膚，老人様顔貌などをきたす（❹）．貧血，免疫能低下，発育・発達不全などを合併する．エネルギー摂取不足，下痢，慢性感染症などにみられる飢餓状態である．

身体発育曲線
→ p.174〜176

[*3] その子にとって望ましい体重のこと．
求め方：成長曲線を利用．その子の身長が成長曲線上の身長平均値に相当する年齢での平均体重．

❷ 年齢によるエネルギー消費量の変化

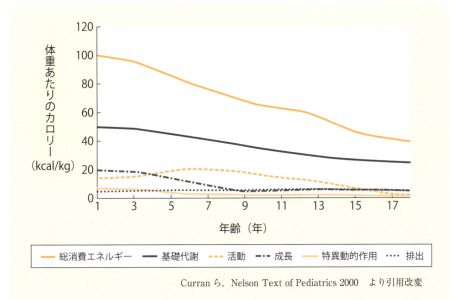

Curran ら，Nelson Text of Pediatrics 2000　より引用改変

（児玉浩子．小児科領域．板倉弘重監．医科栄養学．東京：健帛社；2010. p.748-97.）

❸ クワシオルコルの子ども

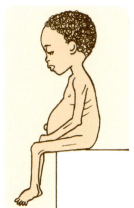

❹ マラスムスの子ども

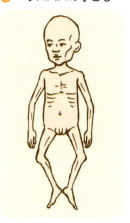

section 3 たんぱく質の代謝と栄養学的意義

*1
アミノ酸とはアミノ基（-NH2）とカルボキシル基（-COOH）を持つ化合物で，体たんぱく合成に使われるアミノ酸は20種類ある．

*2
体内で生じた窒素（アンモニア）は，尿素サイクルで尿素に変換される．

*3
牛乳たんぱく質中のβグロブリンは，牛乳アレルギーの原因になる（→ p.136）．

- たんぱく質はエネルギー源として利用され，1g当たり4kcalになる．
- たんぱく質はアミノ酸*1が20〜80種類程度かそれ以上結合したもので，体内で分解され，体たんぱく合成に利用される．人体を構成する固形成分の50％以上を占め，筋肉，骨格，皮膚などの構成成分であり，酵素やホルモンとしてもさまざまな代謝を調整している．
- アミノ酸は，炭素，酸素，水素のほかに窒素を含む．体内で合成されないアミノ酸を必須アミノ酸といい，成人では9種類，乳児ではシステイン，アルギニンを含む11種類である（❶）．必須アミノ酸はすべてが十分量必要で，1つでも欠乏すると，体たんぱくが十分に合成されない．それ以外のアミノ酸は非必須アミノ酸といわれ，体内で必須アミノ酸から合成される．
- 体内では，体たんぱくは絶えず合成と分解を繰り返し，アミノ酸のアミノ基の分解により窒素（N）が生じ，窒素は肝臓で尿素になり*2，尿中に排泄される．
- たんぱく質の代謝は，食事からの摂取量と便，尿，汗などからの排泄量から窒素出納で評価される．成長期，妊娠期などでは，摂取量が排泄量を上回り，窒素出納はプラスになる．
- 食品中のたんぱく質*3の栄養価は，消化吸収率と体内利用効率とで決まる．食品たんぱく質の栄養価の指数にアミノ酸スコアがある．アミノ酸スコアとは，ヒトの必須アミノ酸の必要量と比較して，食品たんぱく質の必須アミノ酸含有量のうち，最も低い必須アミノ酸量（第一制限アミノ酸）のパーセントで表す（❷）．アミノ酸スコアは食品により異なり，高いほど，体内で効率よく利用されていることを意味する（❸）．
- 母乳中のたんぱく質は主に乳清たんぱくとカゼインで，ほかに分泌型免疫グロブリン（IgA），リゾチーム，ラクトフェリンなどを含み，これらは感染防御に働く．
- 授乳期，離乳期のたんぱく質摂取過剰は将来の肥満の要因になるといわれている．育児用ミルク（乳児用調製粉乳）は母乳に比べて，たんぱく質の含有量がやや多い．将来の肥満を予防するために，母乳が推奨される．

知っておこう！ Notice! アミノ酸サプリメントの効果は？

・身長を伸ばすサプリ（アルギニンサプリ）：アルギニンは成長ホルモン分泌刺激試験に使用されるが，サプリでの効果は否定的である（日本小児内分泌学会 http://jspe.umin.jp/public/kenkai.html）．

❶ 必須アミノ酸と非必須アミノ酸

必須アミノ酸	非必須アミノ酸
バリン, ロイシン, イソロイシン*4, スレオニン, リジン, メチオニン, フェニルアラニン, トリプトファン*5, ヒスチジン	グリシン, アラニン, セリン, アスパラギン酸, グルタミン酸, アスパラギン, グルタミン, システイン, アルギニン*6, チロシン, プロリン

*4 バリン, ロイシン, イソロイシンは分岐鎖アミノ酸といい, 筋たんぱく質中に多く含まれる.

*5 フェニルアラニン, トリプトファンは脳内の神経伝達物質に変換される. 卵や肉など, 食品中のたんぱく質に多く含まれる.

*6 乳児はシステイン, アルギニンも必須アミノ酸である.

❷ 制限アミノ酸の考え方—必須アミノ酸の桶

体たんぱく質の合成には, 必要となるアミノ酸がすべて十分にそろっていることが重要であり, 桶の板が1枚でも短いと, くみ取れる水の量 (栄養価) が少なくなってしまう.

(厚生労働省. 実践的指導実施者研修教材:2007.)

❸ 食品のアミノ酸スコア

食品	アミノ酸スコア	食品	アミノ酸スコア	食品	アミノ酸スコア	食品	アミノ酸スコア
鶏卵	100	牛肉	100	あじ	100	精白米	61
牛乳	100	鶏肉	100	いわし	100	パン	44
		豚肉	100	さけ	100	じゃがいも	73
				まぐろ	100	とうもろこし	31

(厚生労働省. 実践的指導実施者研修教材:2007.)

第2章｜栄養・食に関する基本的知識

section 4　糖質の代謝と栄養学的意義

- 1歳以上の小児〜成人に望ましい炭水化物（糖質）の必要量は，エネルギー必要量の 50 〜 65％である（「日本人の食事摂取基準 2020 年版」エネルギー産生栄養素バランス）．
- 糖質はエネルギー源で，1g 当たり約 4kcal のエネルギーを産生する．
- 糖質は，単糖類，2糖類，多糖類（でんぷんなど）に分類される（❶）．
- 2糖類や多糖類は，腸管で分解され，単糖類になって吸収される．
- 腸管から吸収された単糖類は肝臓に運ばれ，一部は肝臓にグリコーゲン（糖原）として蓄えられる．グリコーゲンは筋肉にも蓄えられ，運動時の筋肉のエネルギー源となる．
- 糖質の代謝でエネルギーを産生するが，グリコーゲンからピルビン酸への代謝（解糖系）は，酸素を必要としないでエネルギーを産生する．一方，TCA 回路は，エネルギー産生に酸素を必要とする（❷）．
- ピルビン酸，乳酸，アミノ酸からグルコースを生成する過程を糖新生系という．長期間空腹状態では，糖新生系が働き，血液中のグルコース濃度を維持する．
- 血液中のグルコース濃度が，血糖である．
- 脳は主にグルコースしかエネルギー源として利用できない．脳のエネルギー消費は成人では全消費エネルギーの約 18％，新生児では約 50％と，小児では脳で消費されるエネルギーは成人に比べて多い．成人ではグルコースの脳での消費は

糖質制限食は体にいい？

糖質制限食に関する研究を纏めた報告（メタ解析）では，肥満・糖尿病などの予防・対策において有効であるとはいえないとされている（厚生労働省．日本人の食事摂取基準 2015 年版）．やはり，食事バランスガイドのコマ（→ p.107）の比率が望ましい．

*1
乳糖を分解する乳糖分解酵素（小腸粘膜に存在）の働きが低下し，乳糖を分解吸収できないため，下痢をきたす状態を乳糖不耐症という．乳幼児では感冒などによる下痢が続いた場合，二次的に乳糖不耐症になる．母乳や育児用ミルクを乳糖が含まれていないラクトレスミルクや大豆乳（ボンラクトi®など）に変えるといった治療法がある．

❶ 糖質の種類

	名称	含有食品	特徴
単糖類	グルコース（ブドウ糖）（注：ぶどうから発見されたので命名された）	果物，甘みのある野菜，いも，はちみつ	・血液中の濃度が血糖である． ・血糖の基準値は 80 〜 140mg/dL．
	フルクトース（果糖）	果物，野菜，はちみつ	・糖質のなかで最も甘みが強い．
	ガラクトース	乳汁，トマト，すいか	・グルコースほど甘くない．
2糖類	スクロース（ショ糖）	さとうきび	・ブドウ糖＋フルクトース． ・砂糖はさとうきびの茎から精製されたものである．
	ラクトース（乳糖）*1	乳汁	・ブドウ糖＋ガラクトース． ・乳汁中の主な糖質．甘みは少ない．
	マルトース（麦芽糖）	水あめ	・ブドウ糖が 2 個結合したもの．
多糖類	でんぷん	穀類，いも類，豆類	・βでんぷん（生のでんぷん）と過熱して糊状の消化しやすいαでんぷんがある．
	グリコーゲン（糖原）	貝類，エビ，レバー	・ブドウ糖が多数結合したもの． ・空腹時に，ブドウ糖になり，血糖を維持するのに働く． ・肝臓や筋肉に貯蔵．
	デキストリン		・でんぷんが分解されて麦芽糖になるまでの中間物質．

❷ 解糖系と TCA サイクル図

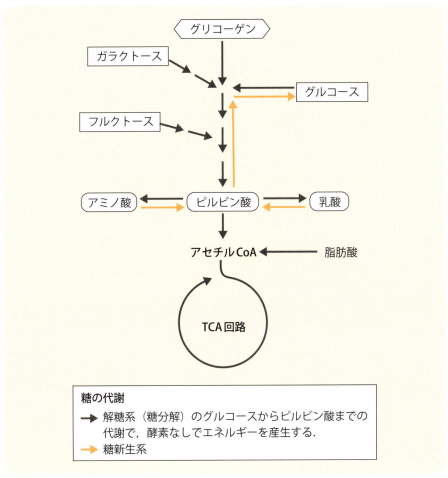

糖の代謝
→ 解糖系（糖分解）のグルコースからピルビン酸までの代謝で，酵素なしでエネルギーを産生する．
→ 糖新生系

ユビキノン
コエンザイム Q10 ともいわれる．TCA サイクルでエネルギー産生に働く．体内で合成されるので，必須の栄養素ではなく，通常は不足することはない．レバー，牛肉，カツオに多く含まれる．強力な抗酸化作用があり，心不全の治療薬になっている．

TCA 回路
クエン酸回路ともいう．ミトコンドリアにあり，酵素供給下で効率よくエネルギーを産生する．

5g/時間とされている．一方，肝臓に蓄えられている糖は約 60g なので，12 時間空腹であると肝臓に蓄えられている糖が脳ですべて消費されることになる．したがって，長時間にわたり糖質を摂取しないと（たとえば朝食欠食），脳のエネルギー供給が不足する恐れがある．
- 過剰な糖質の摂取は，肝臓や脂肪組織でトリグリセリド（中性脂肪）に変換され，蓄積される．したがって糖質摂取過剰は，脂肪肝や肥満につながる．
- 糖が体内で代謝されるときにビタミン B_1 が使われる．したがって糖質過剰摂取でビタミン B_1 の欠乏が起こる恐れがある[*2]．
- 食事中の糖質の摂取により，血糖が上昇すると，インスリンが分泌され，血液中の糖を細胞内に取り込み，血糖が下がる．
- 血糖が高い状態が続く場合，糖尿病と診断される．
- グリセミック・インデックス（GI 値）[*3]：糖質 50g 摂取後の 2 時間での血糖上昇をグルコースを 100 として量的に評価したもので，GI 値が低いほど，糖質はゆっくり吸収されることを示している．

[*2]
糖質を含む清涼飲料水の過剰摂取によるビタミン B_1 欠乏症（脚気，脳症）が，乳幼児でも報告されている．

[*3]
高 GI（GI 値 70 以上）：白パン，白米，シリアルなど．
中 GI（GI 値 56～69）：全粒粉製品，さつまいもなど．
低 GI（GI 値 55 以下）：全粒穀物，果物，豆類など．

第2章 | 栄養・食に関する基本的知識

section 5 脂質の代謝と栄養学的意義

*1
脂肪酸の化学構造
$CH_3(CH_2)_nCOOH$
n は CH_2 の数で、CH_2 の数により、それぞれ脂肪酸名が異なる.

- 脂質は単純脂質、複合脂質、誘導脂質に分けられる.
  - 単純脂質とは、グリセロールと脂肪酸[*1]のみで構成されているもので、グリセロールに3個の脂肪酸が結合したものを中性脂肪(トリグリセリド)といい、食事で摂取する脂質の大部分がこれである.
  - 複合脂質とは、グリセロールと脂肪酸に加えて、リン酸(リン脂質)や糖(糖脂質)が結合したものである.
  - 誘導脂質とは、単純脂質や複合脂質の加水分解産物で、コレステロールや胆汁酸などである.

*2
総摂取エネルギーに対する脂質由来のエネルギーの割合.

- 脂肪エネルギー比[*2] は1歳以上の小児では 20～30％ が目標量である(日本人の食事摂取基準2020年版). 生後5か月まで飲む母乳や、育児用ミルクの脂肪エネルギー比は50％と脂質量が非常に多い.
- 脂質1g当たりエネルギー産生は9kcalで、たんぱく質や糖質(1g当たり4kcal)に比べて、エネルギー効率がよい.

❶ 不飽和脂肪酸(必須脂肪酸),飽和脂肪酸(非必須脂肪酸),コレステロールを多く含む主な食品

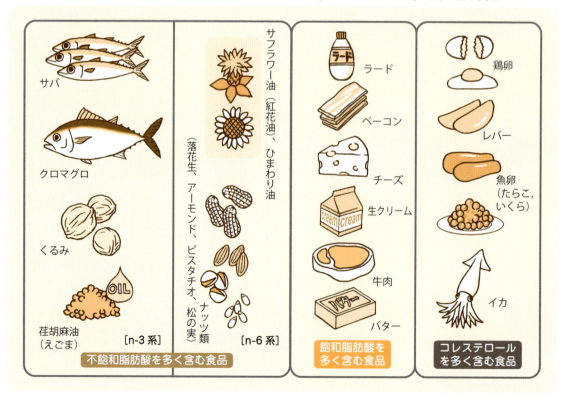

- 食物中の脂質が分解して脂肪酸ができる．脂肪酸には，体内で合成されない必須脂肪酸（不飽和脂肪酸）と体内で合成される非必須脂肪酸（飽和脂肪酸，鳥獣肉に多く含まれる）に分類される．飽和脂肪酸は血清コレステロール増加作用があるため，食べすぎないように注意する（❶）．
- 不飽和脂肪酸とは，二重結合になっている炭素結合を含むもので，2個以上の二重結合を含むものを多価不飽和脂肪酸という．多価不飽和脂肪酸で二重結合の始めの位置がメチル基から数えて3番目がn-3（ω-3ともいう）系脂肪酸，6番目がn-6（ω-6ともいう）系脂肪酸と定義されている（❷）．いずれも非常に大切な脂肪酸で，コレステロールを下げる働きなどがある．
  - ▶ n-3系脂肪酸として，α-リノレン酸，エイコサペンタエン酸（EPA），ドコサヘキサエン酸（DHA）が代表的で，魚類に多く含まれる．
  - ▶ n-6系脂肪酸として，リノール酸（大豆油，コーン油，サフラワー油に多い），アラキドン酸が代表的である．
- コレステロールは細胞膜やホルモン合成などに必要不可欠なものである．コレステロールは体内で約7割が合成され，食事由来のものは約3割である．しかし，とりすぎると動脈硬化の要因になるといわれている．幼児期からコレステロールや飽和脂肪酸のとりすぎに注意が必要である．
- コレステロールにはLDL-コレステロール（悪玉）とHDL-コレステロール（善玉）があり[*3]，血液中のLDL-コレステロールが140mg/dL以下，HDL-コレステロールが40mg/dL以上が基準値である．
- トランス脂肪酸も動脈硬化をきたす要因である．トランス脂肪酸は自然にはほとんど存在せず，油を加工する過程で生じ，マーガリンやショートニングに含まれている．マーガリンやケーキの食べすぎには注意が必要である．

カルニチン

脂肪酸をミトコンドリア内に輸送する働きがあり，脂肪を燃焼してエネルギーを産生するのに必要な栄養素．成人では必要量の約25%は体内でも合成されているが，乳幼児では合成が未熟なため，必須の栄養素である．牛肉など赤身の肉に多く含まれている．

[*3] 血清脂質はたんぱく質と結合してリポたんぱく質として存在する．リポたんぱく質は比重により分類されている．LDL-コレステロールはその一つで，酸化によって動脈硬化の促進因子となる．一方HDL-コレステロールは血管壁から肝臓へコレステロールを転送させ，動脈硬化のリスクを減らす．

[*4] メチル基とは，図の構造式の左端のCH3-のこと．

❷ n-3系脂肪酸とn-6系脂肪酸の構造

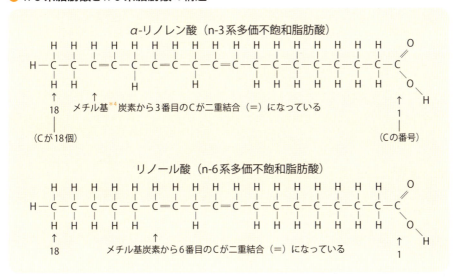

第2章 栄養・食に関する基本的知識

section 6 ビタミンの代謝と栄養学的意義

> **調べてみよう**
>
> 野菜ジュースは野菜の代替品になるだろうか？ 野菜ジュースの栄養価について調べてみよう．

- ビタミンは水溶性ビタミン（B類，パントテン酸，葉酸，C）と脂溶性ビタミン（A，D，E，K）に分類される（❶，❷）．

水溶性ビタミン

- 一般に水溶性ビタミンは過剰摂取しても尿に排泄される．
- 糖分を含む清涼飲料水やインスタント食品の過剰摂取，偏食で，幼児でもビタミン B_1 欠乏症が報告されている（糖質代謝にビタミン B_1 が使われるため）．
- **葉酸**：妊娠初期の葉酸欠乏は，胎児の神経系の奇形(2分脊椎など)の要因になる．

❶ 水溶性ビタミンの働き，欠乏症，多く含まれる食品

	働き	欠乏症	多く含まれる食品
B_1（チアミン）	糖代謝を促進	脚気（全身倦怠感，心不全，多発性神経炎，浮腫），ウェルニッケ脳症（眼球運動異常，歩行失調，意識障害）	やつめうなぎ，豚肉，豆類，ニンニク
B_2（リボフラビン）	電子伝達系補酵素，エネルギー産生	口角炎，口内炎，羞明，視力低下	牛乳，チーズ，肉類，卵，緑黄色野菜，レバー
B_6（ピリドキシン，ピリドキサール）	アミノ酸代謝，糖新生に関与	口角炎，口内炎，皮膚炎，多発神経炎，小球性貧血	肉類，魚，豆類，穀物，野菜
B_{12}（コバラミン）	たんぱく代謝，DNA 合成，ミエリン合成に関与	巨赤芽球性貧血，白血球減少	肉類，レバー，貝類，卵
ナイアシン	酸化還元反応，糖質代謝，脂質代謝，解毒代謝に関与	ペラグラ（顔面，上肢，手背に紅斑・亀裂・乾燥），下痢，腹痛	肉類，魚，緑黄色野菜
ビオチン	糖新生，脂肪酸合成，エネルギー産生	皮膚炎，脱毛，発育不全	卵黄，豆類，レバー
パントテン酸	糖質代謝，脂質代謝	灼熱脚症候群（足底部の強い痛み）	牛肉，鶏肉，卵黄
葉酸	アミノ酸代謝	巨赤芽球性貧血，胎児の神経管欠損症	緑黄色野菜，肉類
C	抗酸化作用，コラーゲン合成，無機鉄の吸収，ホルモン合成	壊血病（皮膚や粘膜の出血，歯肉の出血や腫脹，関節痛）	緑黄色野菜，トマト，じゃがいも，かんきつ類

❷ 脂溶性ビタミンの働き，欠乏症，過剰症，多く含まれる食品

	働き	欠乏症	過剰症	多く含まれる食品
A	成長，視覚，免疫	眼症状（夜盲症，ドライアイ），皮膚症状（乾燥，梨の皮のようなブツブツ皮膚），成長障害，易感染性	食欲不振，嘔吐，興奮性，皮膚のかゆみ	うなぎ，卵黄，レバー，緑黄色野菜，チーズ，トマト
D	腸管，腎尿細管でのカルシウムの吸収促進	くる病，骨軟化症，骨粗鬆症，低カルシウム血症	食欲不振，嘔吐，口渇，多尿，傾眠，けいれん	魚，きのこ類，うなぎ
E	抗酸化作用，血行促進	小脳失調，深部感覚障害，網膜色素変性，易感染性	報告はない	種子類，植物油，カボチャ，うなぎ，卵黄
K	血液凝固	出血	報告はない	納豆，海藻，緑黄色野菜，植物油，豆類

妊娠前から欠乏を予防することが大切である．
- **ビオチン**：牛乳アレルゲン除去ミルクなどの治療用ミルクの多くは，ビオチンを含んでいない．そのためにこれら単独で栄養している場合は，ビオチン欠乏になる危険性がある（❸）．最近の治療用ミルクには，ビオチンが添加されているものが多い．

脂溶性ビタミン

- 脂溶性ビタミンは，脂肪吸収不全（慢性肝障害など）で吸収が障害され，欠乏になりやすい．一方，ビタミンA・Dは過剰摂取で体内に蓄積し，過剰症を発症するが，通常の食事で過剰になることはない．サプリメントや添加食品の過剰摂取で過剰症になるおそれがある．
- **ビタミンD**：紫外線照射により皮膚で合成されるので，適度な日光照射が大切である[*1]．しかし，体内での合成だけでは不足するため，摂取も必要である．体内では肝臓および腎臓で活性化された後に働く．したがって慢性肝障害・腎臓障害で欠乏になりやすい．欠乏で，くる病（❹），骨粗鬆症，低カルシウム血症になる[*2]．
- **ビタミンK**：新生児，乳児期前半に欠乏になりやすく，母乳は育児用ミルクに比べてビタミンK含有量が少ないため，母乳栄養児で欠乏になりやすい．ビタミンK欠乏を予防するために，全新生児に出生直後，生後1週間（または産科退院時），生後1か月に K₂ シロップが経口投与されている．

[*2] 母乳はビタミンDの含有量が少ないため，母乳栄養児は欠乏しやすい．O脚や低カルシウム血症によるけいれんで発見されることが多い．（ビタミンD含有量［μg/100mL］，母乳 0.3, 乳児用粉ミルク 1.3〜1.8）

♂ ビタミンの発見

明治時代に海軍兵士の脚気を食事内容の改善で激減させた高木兼寛は日本疫学の父といわれている．ビタミンB₁は1910年，鈴木梅太郎によって発見された．これはノーベル賞級の発見とされている．その後，ビタミンが次々と発見された．

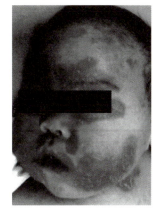

❸ ビオチン欠乏の皮膚炎

（後藤美奈ほか．アミノ酸調整粉末の単独哺育中に生じた後天性ビオチン欠乏症の1例．臨床皮膚科 2009；63(8)：565-9.）

[*1] 欧米の研究ではあるが，6か月児でビタミンD欠乏症を予防するには，帽子なしの着衣で週2時間，おむつだけの状態で週30分の日光照射が必要（日本人の食事摂取基準2020年版．乳児・小児の特性）．

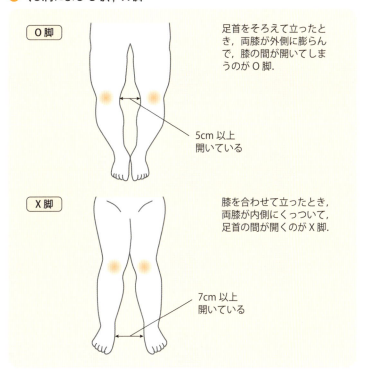

❹ くる病によるO脚，X脚

O脚：足首をそろえて立ったとき，両膝が外側に膨らんで，膝の間が開いてしまうのがO脚．
5cm以上開いている

X脚：膝を合わせて立ったとき，両膝が内側にくっついて，足首の間が開くのがX脚．
7cm以上開いている

第2章｜栄養・食に関する基本的知識

section 7 ミネラルの代謝と栄養学的意義

*1
食塩や醤油に含まれる.

*2
鉄にはヘム鉄（肉・魚類に含まれる）と非ヘム鉄（野菜，卵黄に含まれる）がある．ヘム鉄は吸収率が高いが，非ヘム鉄は吸収率が低い．
非ヘム鉄はビタミンCと共に摂ると吸収率がよくなる．

*3
カルシウム：便秘，尿管結石など．
鉄：吐き気，下痢などの胃腸障害．軽度では症状はでない．

- ミネラルは無機質ともいわれる．
- 「日本人の食事摂取基準」では，体内に多く存在するミネラルを多量ミネラルとし，ナトリウム，カリウム，カルシウム，マグネシウム，リンが示されている．体内に微量しか存在しないミネラルを微量ミネラルといい，鉄，亜鉛，銅，マンガン，ヨウ素，セレンなどがある．
- ミネラルは体内で作ることができないので，必須の栄養素である（❶）．
  ▶ 不足すると欠乏症，過剰摂取で過剰症が発症する．
- ナトリウム*1 の摂りすぎは，将来，高血圧の原因になる．幼児期から薄味に慣れさせるのが大切である．
- カリウムは，ナトリウムの排泄を促し，将来の生活習慣病の予防になる．積極的に摂取を心がける．
- 現代の幼児は，カルシウムと鉄が不足しがちである．カルシウムや鉄の多い食事*2 を心がける（❷，❸）．しかし，サプリメントで過剰に摂取すると，過剰症*3 になる危険性がある．

❶ 主なミネラルの働き，欠乏症など，多く含まれる食品

	働き	現状・欠乏症など	含まれる食品
ナトリウム(Na)	体液の浸透圧の調節	通常，欠乏はない	食塩，醤油
カリウム(K)	体液の浸透圧の調節 ナトリウムの排泄	やや不足気味である	果物（バナナなど），いも類，大豆，海藻
クロール(Cl)	浸透圧の調節，胃液酸性の保持	通常，欠乏はない	食塩，醤油
カルシウム(Ca)	骨や歯の成分，体内の99%は骨・歯に存在，神経伝達機構・インスリン分泌に関与	欠乏症：骨粗しょう症，易骨折，くる病，しびれ，筋力低下	牛乳・乳製品，小骨含有小魚，大豆製品
リン(P)	骨や歯の成分，エネルギー代謝，ビタミンB類の働きを補佐	通常，欠乏はない	穀類，肉，卵，牛乳・乳製品，食品添加物
マグネシウム(Mg)	骨の成分，筋肉の糖代謝	通常，欠乏はない 欠乏症：脱力感，イライラ，不整脈	種実（ゴマ，アーモンド），魚介類，緑黄野菜，大豆
鉄(Fe)	酸素の全身への運搬 血色素の成分	欠乏症：貧血（顔色が悪い，疲れやすい，元気がない），スプーン爪	豚・鶏のレバー，牛ひれ肉，アサリ，シジミ
銅(Cu)	メラニン合成，結合組織 酸素運搬	欠乏症：貧血，骨折，血管異常	ココア，チョコレート，エビ，カニ
亜鉛(Zn)	体内に300以上ある亜鉛酵素の成分，核酸代謝・蛋白合成に不可欠	欠乏症：皮膚炎，体重増加不良，低身長，味覚異常	牡蠣，ココア，チョコレート，プロセスチーズ，味噌，しいたけ
ヨウ素(I)	甲状腺ホルモンの成分	通常，欠乏はない．過剰摂取に注意が必要，不足・過剰で甲状腺機能低下，甲状腺腫	海藻類（こんぶ，わかめ，のり，ひじき）
セレン(Se)	抗酸化作用	欠乏症：白色爪，心筋症，筋肉痛	穀物，魚介類
マンガン(Mn)	抗酸化作用，糖代謝	欠乏症：耐糖能低下，運動失調	ナッツ類，穀物

❷ カルシウムを多く含む食品（1回の食事量）

	分量(g)	目安量	カルシウム量(mg)
牛乳	200	1カップ	220
ヨーグルト	100	約1/2カップ	120
しらす干し	15	大さじ3	32
豆腐	100	1/3丁	120
小松菜	30	1株	51

❸ 鉄を多く含む食品（1回の食事量）

	分量(g)	目安量	鉄量(mg)
レバー(豚)	30	1/2切れ	3.9
（鶏）	30	1/2切れ(焼鳥1本)	2.7
鶏卵	70	1個	0.9
豚肉(赤身)	70	1切れ	0.6
牛肉(赤身)	70	1切れ	1.9
アサリ(可食部)	50	12〜13個	1.9
ほうれん草	60	おひたし小鉢1杯	1.2
小松菜	60	おひたし小鉢1杯	1.8
ひじき	7	煮物小鉢1杯	3.9

| カルシウム | 鉄 |

健康な骨や歯をつくる ／ 神経のいらだちを抑え，精神を安定させる ／ 体温を維持する ／ 体の各器官に酸素を運ぶ

心臓を規則的に正しく活動させ，筋肉をスムーズに収縮させる

集中力の低下，疲労，貧血などを防ぐ

病気に対する抵抗力をつける

カルシウムが多く含まれている食品
牛乳　豆腐　しらす干し

鉄が多く含まれている食品
ひじき　牛肉(赤身)　レバー　アサリ

第2章｜栄養・食に関する基本的知識

section 8　食物繊維と水分

食物繊維

- 食物繊維とは「ヒトの消化酵素で消化されない食品中の難消化性成分の総体」と定義されている．水溶性と不溶性がある．さらに，植物由来のものと動物由来のものがあり，さまざまな働きをもつ（❶）．
- 食物繊維はヒトの消化機能では難消化性（消化吸収されない）であるが，腸内細菌で発酵を受け，単鎖脂肪酸やガスになり，エネルギー源となる．
- 広義には，ビフィズス菌の栄養源となり整腸作用がある難消化性オリゴ糖（大豆オリゴ糖，ガラクトオリゴ糖など）や，糖アルコール（マンニトール，キシリトールなど）も食物繊維に入る．
- 食物繊維の摂取量[*1]は，食生活の欧米化で減少傾向にあり，不足気味となっている．便秘や将来の生活習慣病の予防のために，幼児期から食物繊維を多く摂取する習慣をつけることが大切である．
- 日本人の食事摂取基準2020年版では，食物繊維の目標量が3歳から設定されている．

水分

- 水分は栄養素ではないが，生体に欠かせないものである．年少ほど，体の中で水分が占める率が高い．また，体内では水分は細胞外と細胞内に分かれて分布し，年少ほど細胞外水分（血液，細胞間腔液など）の率が高い（❷）．
- 水分は，重要な体構成成分で，栄養素や老廃物を運ぶ．また，汗や尿からの排泄や，不感蒸泄[*2]で，体温を調整している．

便秘の予防
→ p.146

[*1] 野菜には食物繊維が多く含まれている．成人の野菜摂取量は1日350g以上が目標．

[*2] 無自覚のまま皮膚や気道から蒸散する水分．幼児では50mL/kg/日と成人（20mL/kg/日）より多い．

❶ 食物繊維の種類とその働き

		種類（含有食品）	働き
不溶性食物繊維	植物性	セルロース（穀類，野菜） リグニン（野菜，ココア） イヌリン（ごぼう，にんじん） アガロース（寒天）	・細胞膜の構成成分．水を吸収し，腸を刺激する ・便秘の予防と対応 ・満腹感の維持 ・大腸がんの予防
	動物性	コラーゲン（動物の腱，肉） キチン・キトサン（エビ・カニの殻，きのこ）	・有害物質の吸着・排泄 ・唾液分泌の亢進
水溶性食物繊維	植物性	ペクチン（果物の皮，野菜） グルコマンナン（こんにゃく） アルギン酸（わかめ，こんぶ）	・細胞の中に貯蔵されている成分．粘性をもち，胃内で栄養素を包み，小腸への移動を遅らせる ・血清コレステロールの低下 ・食後血糖値の上昇の抑制
	動物性	コンドロイチン（サメのひれ）	・血圧上昇の抑制

（堤ちはる．土井正子編著．子育て・子育ちを支援する小児栄養．東京：萌文書林；2009.）

- 1日の体重当たりの水分必要量は年少児ほど多く，体重1kg当たり，乳児期では125～150mL，幼児期は90～125mL，学童期は50～90mL，成人は50～70mLが適量とされている．
- 乳幼児では，嘔吐，下痢，発熱などで水分が欠乏し，容易に脱水症をきたすので，注意が必要である．このような症状のときは，こまめに水分の補充が必要である．
- 脱水の程度と症状を❸，❹に示す．体重の減少は，脱水の程度を評価するのに役立つ．そのためにも，健康時の体重を測定しておくことが大切である．
- 軽症で激しい嘔吐がなければ，イオン飲料水を少量ずつ飲ませる．中等度以上では医療機関を受診して，輸液が必要である．

🔑 イオン飲料水
→ p.145

❷ 体重に占める水分の割合：新生児，乳児，成人，高齢者の比較

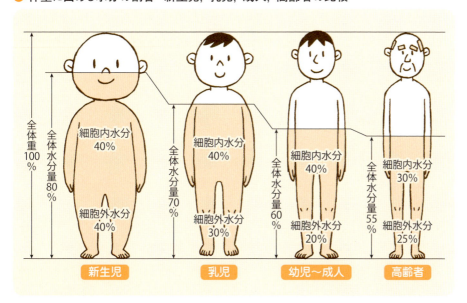

*3 尿量が乳幼児で1mL/kg/時間以下，それ以降では0.5mL/kg/時間以下で乏尿と考える．

❸ 脱水の程度と症状

	軽度	中等度	高度
体重減少	3～5%	5～10%	10%以上
体液喪失量（mL/kg）	50以下	50～100	100以上
皮膚粘膜の乾燥	正常～やや乾燥	乾燥	著明に乾燥
ツルゴール（皮膚の張り）	やや低下	低下	著明に低下
皮膚色（末梢循環）	蒼白	灰白色	斑状（まだら）
大泉門（乳児）	正常～やや陥凹	陥凹	著明に陥凹
脈拍	ほぼ正常	頻脈	著明な頻脈
血圧	ほぼ正常	ほぼ正常～低下	低下
排尿	尿量減少	乏尿*3	無尿

❹ 脱水症状の子ども

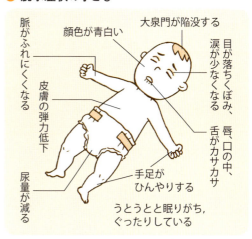

第2章｜栄養・食に関する基本的知識

日本人の食事摂取基準の意義と活用

- 食事摂取基準（dietary reference intakes：DRIs）とは，1日にどれくらいのエネルギーおよび各栄養素を摂取したらよいのかを示したものである．
- 日本人の食事摂取基準は健康な個人または集団を対象として，国民の健康の維持・増進，生活習慣病予防・重症化予防を目的として厚生労働省が発表している．
- 日本人の食事摂取基準は，5年ごとに見直され，最新版は「日本人の食事摂取基準2020年版（2020～2024年度）」である．詳細は厚生労働省のホームページ[*1]でみることができる．
- 2020年版の特徴は，①健常者における生活習慣病の1次予防に加えて，主な生活習慣病（高血圧，脂質異常症，糖尿病，慢性腎臓病）罹患患者における重症化予防およびフレイル予防を念頭に置いた，②エネルギー摂取量の過不足の評価は，体重の変化（またはBMI）を用いる，③減塩の強化（食塩相当量の目標量：成人男性7.5g未満，成人女性6.5g未満）があげられる．ナトリウム（食塩）の目標量は徐々に減少してきている．
- 「日本人の食事摂取基準」ではエネルギーとたんぱく質，脂質，炭水化物，ビタミン，ミネラルの栄養素について策定されている（❶）．
- 摂取量の基準として，エネルギーの指標と栄養素の指標がある．栄養素の指標は3つの目的からなる5つの指標で構成される❷．指標の概要は❸，❹に示した．
- 食事摂取基準の実際の活用においては，栄養素などに優先順位がある．その優先順位は，①エネルギー，②たんぱく質，③脂質，④ビタミンA，ビタミンB_1，ビタミンB_2，ビタミンC，カルシウム，鉄，⑤飽和脂肪酸，食物繊維，ナトリウム，カリウム，⑥その他の栄養素で，対象集団にとって重要であると判断されるもの，である．
- エネルギー必要量は身体活動レベルにより異なる．6歳以上の年齢で身体活動レベルが低い（Ⅰ），普通（Ⅱ），高い（Ⅲ）で示されている．5歳まではⅡのみである．

[*1] http://www.mhlw.go.jp/stf/newpage_08517.html

❶ 日本人の食事摂取基準で策定されているエネルギーや栄養素

		設定項目
エネルギー		エネルギー
たんぱく質		たんぱく質
脂質		脂質，飽和脂肪酸，n-6系脂肪酸，n-3系脂肪酸
炭水化物		炭水化物，食物繊維
ビタミン	脂溶性ビタミン	ビタミンA，ビタミンD，ビタミンE，ビタミンK
	水溶性ビタミン	ビタミンB_1，ビタミンB_2，ナイアシン，ビタミンB_6，ビタミンB_{12}，葉酸，パントテン酸，ビオチン，ビタミンC
ミネラル	多量ミネラル	ナトリウム，カリウム，カルシウム，マグネシウム，リン
	微量ミネラル	鉄，亜鉛，銅，マンガン，ヨウ素，セレン，クロム，モリブデン

（厚生労働省．日本人の食事摂取基準．2020.）

❷ 栄養素の指標の目的と種類

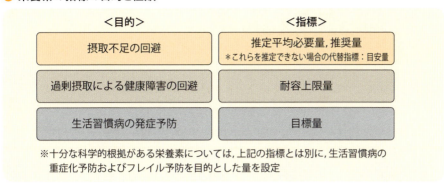

(厚生労働省. 日本人の食事摂取基準. 2020.)

❸ 食事摂取基準の各指標を理解するための概念図

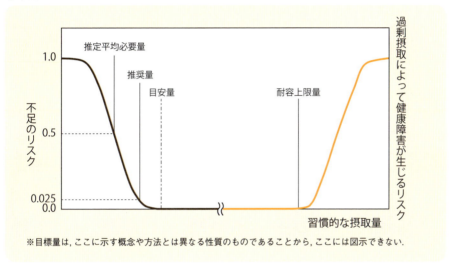

※目標量は，ここに示す概念や方法とは異なる性質のものであることから，ここには図示できない．

(厚生労働省. 日本人の食事摂取基準. 2020.)

❹ 食事摂取基準の設定指標

設定指標		概要
エネルギー	BMI，推定エネルギー必要量 estimated energy requirement (EER)	エネルギー摂取量および消費量のバランスの維持を示す指標として BMI (body mass index) を採用 (18 歳以上に限定)．推定エネルギー必要量はエネルギー出納が 0 となる確率が最も高くなると推定される 1 日の摂取量．ただし妊婦では胎児発育，授乳婦では母乳，小児では成長に伴う組織増加に必要なエネルギーが付加点として加えられている[*2]
栄養素	推定平均必要量 estimated average requirement (EAR)	ある母集団における平均必要量の推定値．ある母集団に属する 50% の人が必要量を満たすと推定される 1 日の摂取量．
	推奨量 recommended dietary allowance (RDA)	ある母集団のほとんど (97〜98%) の人において 1 日の必要量を満たすと推定される 1 日の摂取量．理論的には「推定平均必要量＋標準偏差の 2 倍 (2SD)」として算出．推奨量を摂取していれば欠乏にはならない．
	目安量 adequate intake (AI)	推定平均必要量および推奨量を算定するのに十分な科学的根拠が得られない場合に，特定の集団の人々がある一定の栄養状態を維持するのに十分な量．乳児はすべて目安量で示されている．
	耐容上限量 tolerable upper intake level (UL)	ある母集団に属するほとんどすべての人々が，健康障害をもたらす危険がないとみなされる習慣的な摂取量の上限を与える量．
	目標量 tentative dietary goal for preventing life-style related diseases (DG)	生活習慣病の一次予防を目的として，現在の日本人が当面の目標とすべき摂取量 (脂質，ナトリウム，カリウムなど)．

[*2] → p.44-46

第2章 | 栄養・食に関する基本的知識

section 10 妊婦・授乳婦の食事摂取基準

> ヨウ素の耐容上限量は2,000μg（非妊娠女性と男性は3,000μg）と非妊娠女性に比べて低い．これは，妊娠中のヨウ素摂取過剰は胎児・新生児のヨウ素過剰による甲状腺機能低下の原因になるためである．

> *1
> 脂質，炭水化物の％エネルギー（総エネルギー摂取量に占めるべき割合），ビタミンKの摂取量は非妊娠時と同じである．

- 妊娠している女性は，妊娠していないときの食事摂取基準に加えて，妊娠によって必要になったエネルギーと栄養素をとらなければならない．これを付加量という．
- 付加量は胎児に必要なエネルギーと栄養素と，妊婦自身に必要なエネルギーと栄養素を加えたもので，妊娠初期（〜13週6日），中期（14週0日〜27週6日），後期（28週0日〜）の3段階に分けて示されている．
- 妊娠各期の付加量は，エネルギーについては初期50kcal/日，中期250kcal/日，後期450kcal/日，たんぱく質については初期0，中期5g/日，後期20g/日である．栄養素については，妊婦で付加量が示されているものを❶に示した*1．
  ▶ n-6・n-3系脂肪酸，ビタミンD・Eは付加量ではなく，妊婦・授乳婦の目安量が示されており，非妊娠時より多い．
  ▶ カルシウムは妊婦・授乳婦とも付加量が設定されていない．それは腸管での吸収率が亢進するためである．

❶ 妊婦で付加量が示されている栄養素

三大栄養素		たんぱく質
ビタミン	脂溶性ビタミン	ビタミンA（後期のみ付加点が設定）
	水溶性ビタミン	ビタミンB$_1$，ビタミンB$_2$，ビタミンB$_6$，ビタミンB$_{12}$，葉酸，ビタミンC
ミネラル	多量ミネラル	マグネシウム
	微量ミネラル	鉄，亜鉛，銅，ヨウ素，セレン

❷ 妊娠前からはじめる妊産婦のための食生活指針

- 妊娠前から，バランスのよい食事をしっかりとりましょう
- 「主食」を中心にエネルギーをしっかりと
- 不足しがちなビタミン・ミネラルを，「副菜」でたっぷりと
- 「主菜」を組み合わせてたんぱく質を十分に
- 乳製品，緑黄色野菜，豆類，小魚などでカルシウムを十分に
- 妊娠中の体重増加は，お母さんと赤ちゃんにとって望ましい量に
- 母乳育児も，バランスのよい食生活のなかで
- 無理なくからだを動かしましょう
- たばことお酒の害から赤ちゃんを守りましょう
- お母さんと赤ちゃんのからだと心のゆとりは，周囲のあたたかいサポートから

（厚生労働省．妊娠前からはじめる妊産婦のための食生活指針．2021.）

- 妊娠期の望ましい食生活については，「妊娠前からはじめる妊産婦のための食生活指針」*2 が示されている（❷）．
- 「妊産婦のための食生活指針」において，具体的に何をどれだけ食べたらよいかについて，食事摂取基準の妊娠期のエネルギー，各栄養素の付加量を加味して作られた，「妊産婦のための食事バランスガイド」が示されている（❸）．非妊娠時・妊娠初期の1日分を基本として，各妊娠期の付加量を補うようになっている．
- 授乳中の母親にも，母乳に含まれるエネルギーおよび栄養素と，母親の体重減少*3 分を考えた付加量が示されている．
- 妊産婦が望ましい食生活を実践している評価の指標として，妊娠期間中の推奨体重増加量も示されている（❹）．

*2 https://www.mhlw.go.jp/seisakunitsuite/bunya/kodomo/kodomo_kosodate/boshi-hoken/ninpu-02.html

食事バランスガイド
→ p.107

*3 授乳中の母親の体重は，約6か月かけて元に戻すのが望ましい．

❸ 妊産婦のための食事バランスガイド

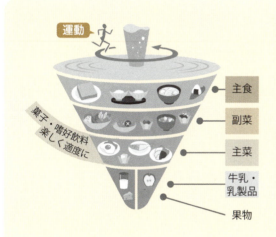

エネルギーの目安(kcal)	非妊娠時 妊娠初期	1日分付加量	
		妊娠中期 +250	妊娠後期 +450 授乳期 +350
主食	5～7つ(SV)	妊娠前と変わりません	+1
副菜	5～6つ(SV)		+1	+1
主菜	3～5つ(SV)		+1	+1
牛乳・乳製品	2つ(SV)			+1
果物	2つ(SV)		+1	+1

エネルギーの目安（kcal）非妊娠時 妊娠初期 2,000～2,200

非妊娠時，妊娠初期の1日分を基本とし，妊娠中期，妊娠後期，授乳期の方はそれぞれの枠内の付加量を補うことが必要です．

※この料理例を組み合わせるとおおよそ2,000～2,200kcal．非妊娠時・妊娠初期（18～49歳女性）の身体活動レベル「ふつう（Ⅱ）」以上の人の，1日分の適量を示しています．
※「食事バランスガイド」では，身体活動レベル「ふつう」「高い」に該当する人を「ふつう以上」としています．「ふつう」とは，座り仕事が中心だが，軽い運動や散歩などをする人です．
※ SV とはサービング（食事の提供量の単位）の略

（参考：厚生労働省．母子健康手帳の任意記載事項様式について．2021.）

❹ 体格区分別　妊娠期間の推奨体重増加量

妊娠前の体格	体重増加指導の目安
低体重（やせ）　：BMI　18.5 未満	12～15kg
ふつう　　　　　：BMI　18.5 以上 25.0 未満	10～13kg
肥満（1度）　　：BMI　25.0 以上 30.0 未満	7～10kg
肥満（2度以上）：BMI　30.0 以上	個別対応（上限5kg）

BMI（body mass index）：体重（kg）/ 身長（m）^{2}
体重増加量を厳格に指導する必要はない．個人差を考慮したゆるやかな指導を心がける（産婦人科診療ガイドライン 2020）
体格分類は日本肥満学会の肥満度分類に準じている．

（参考：厚生労働省．母子健康手帳の任意記載事項様式について．2021.）

第2章｜栄養・食に関する基本的知識

section 11 乳幼児の食事摂取基準

- 乳児，幼児の食事摂取基準の年齢区分は乳児が月齢で 0 ～ 5 か月，6 ～ 11 か月の 2 区分（ただし，エネルギーとたんぱく質については 0 ～ 5 か月，6 ～ 8 か月，9 ～ 11 か月の 3 区分），幼児は 1 ～ 2 歳，3 ～ 5 歳の 2 区分としている．
- 「日本人の食事摂取基準 2020 年版」では，小児として 1 歳から 17 歳を取り扱っている．小児の「推定エネルギー必要量」は成長した組織増加分（エネルギー蓄積量）を加算している．

> 小児の推定エネルギー必要量（kcal/ 日）＝基礎代謝量（kcal/ 日）×身体活動レベル[*1]
> ＋エネルギー蓄積量（kcal/ 日）

[*1] 身体活動レベルは，5歳まではⅡ（ふつう）のみである．6歳以上はⅠ，Ⅱ，Ⅲに分類されている．
→ p.42

- 乳児の食事摂取基準の指標はエネルギーが「推定エネルギー必要量」，栄養素が「目安量」で示されている．
- 乳児のたんぱく質の食事摂取基準は，0 ～ 5 か月児の場合，乳児の飲む平均的な母乳（780mL）中の含有量から，6 ～ 8 か月児は哺乳量 600mL 分＋離乳食のたんぱく質量，9 ～ 11 か月児は哺乳量 450mL 分＋離乳食のたんぱく質量から求められている．
- ビタミン・ミネラルの食事摂取基準については推奨量または目安量，耐容上限量などの指標に注意する．
- 飽和脂肪酸（3 ～ 5 歳で 10% 以下）と食物繊維（3 ～ 5 歳で 8g 以上）の目標量が 3 歳から示された．
- 3 ～ 5 歳のナトリウムの目標量は 3.5g 未満．カリウムの目標量は 1,400mg 以上である．
- 食事摂取基準では乳児用調整粉乳等による栄養素摂取に関する記載もされている．特殊ミルクや治療乳を使用している乳幼児で，ビオチン，カルニチン，セレンの欠乏症が報告されており，注意喚起が必要である．

食事摂取基準の指標
→ p.43

12 学童・思春期の食事摂取基準

- 学童期，思春期の食事摂取基準の年齢区分は，学童期が 6 〜 7 歳，8 〜 9 歳，10 〜 11 歳の 3 区分，思春期が 12 〜 14 歳，15 〜 17 歳の 2 区分となっている．
- 学童期，思春期のエネルギーは幼児期と同様，エネルギー蓄積量を加算している．学童期からは身体活動の強度に応じてエネルギーが示されている．
  - ▶ 身体活動レベルはⅠ（低い），Ⅱ（ふつう），Ⅲ（高い）の 3 段階があり，「低い」は座った生活が多いなど静的な活動が中心，「高い」は移動や立っていることが多く，スポーツや活発な運動習慣がある場合で，それ以外は「ふつう」と考えてよい．
- 思春期のエネルギーは量的に成人を上回り，身体活動レベルⅡにおいて男子の 15 〜 17 歳 2,800kcal，女子の 12 〜 14 歳 2,400kcal が最高値である．
- 成長期であるため，たんぱく質は不足しないように配慮が必要である．一方，耐容上限量は設定されていないが，過剰な摂取は代謝や肥満への影響もあり，注意をしなければならない．良質なたんぱく質の摂取が必要である．
- ビタミン・ミネラルの食事摂取基準のうち，「カルシウム」の体内蓄積量は思春期が一番多く，吸収率も高くなる（❶）．カルシウムの推奨量は男子 12 〜 14 歳で 1,000mg，女子 12 〜 14 歳で 800mg であり，成人期への体づくりの時期として重要である．
- 「鉄」において，女子 10 〜 11 歳の年代から月経の有無による基準が設定されている．

❶ 骨量の経年変化

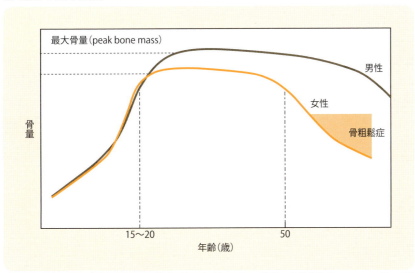

(大薗恵一. 骨粗鬆症予防に重要なカルシウム摂取. 小児科診療 2008；71：1005-10.)

賞味期限と消費期限の違い

加工食品には「賞味期限」と「消費期限」の表示がある．それぞれの表示の意味を正しく理解し，安全においしく食べて，食品の無駄をなくす努力をしたい．

賞味期限とは —— おいしく食べることができる期限

冷蔵や常温で保存できる食品に表示されている．開封前であれば，この期限内は品質の保持が十分に可能であると認められる期限．ただし，期限を超えたとしても，食べられなくなるとは限らない．

消費期限とは —— 過ぎたら食べないほうがよいとされる期限

長期保存のきかない食品に表示されている．定められた方法で保存していた場合，腐敗などの品質の劣化がないと認められる期限．期限を過ぎてしまった場合は食べないほうがよい．

賞味期限と消費期限のイメージ

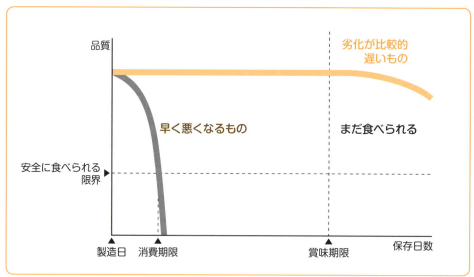

（参考：農林水産省・厚生労働省 http://www.mhlw.go.jp/shingi/2008/03/dl/s0327-12g_0004.pdf）

第3章

子どもの発育・発達と栄養・食生活

第3章 | 子どもの発育・発達と栄養・食生活

section 1 授乳・離乳の支援ガイド

*1
初版は，厚生労働省から 2007 年に発表された.
https://www.mhlw.go.jp/shingi/2007/03/dl/s0314-17.pdf

授乳等の支援のポイントは本ガイドのp.21 にわかりやすく表にまとめているので，参考になる.

- 「授乳・離乳の支援ガイド」[*1]が，2019（平成 31）年 3 月，12 年ぶりに改定された. このガイドラインでは，妊産婦と乳幼児のサポートを妊娠中から退院後，さらに離乳食の開始以降に至るまで，継続的に一貫して支援することが求められている.
- 授乳の支援にあたっては，母乳や育児用ミルクといった乳汁の種類にかかわらず，母子の健康の維持とともに，健やかな母子・親子関係の形成を促し，育児に自信をもたせることを基本とする.
- 離乳の支援にあたっては，子どもの健康を維持し，成長・発達を促すよう支援するとともに，授乳の支援と同様，健やかな母子・親子関係の形成を促し，育児に自信をもたせることを基本とする.
- 保育においては，どのような支援を行うことができるか考えてみよう. 支援の対象は，働き始めた母親と保育所での生活が始まった子どもの両者である.

授乳について

♪冷凍母乳
→ p.65，131

- 月齢が 6 か月未満の場合は，まず冷凍母乳を希望するかどうかを話し合う（❶）. 職場が近い場合は休み時間に授乳しに来ることも可能であることも伝える.
- 働き始めた母親は大きな環境の変化で，母乳の分泌量の減少がみられる場合もある. そのときは，子どもの体重増加などをみながら，あせらないで様子をみるよう支援する.
- お迎え時に授乳のできるコーナーを設けておき，ゆったりした気持ちで授乳することができるのもよい支援である.
- 保育所で何をどれだけ飲んだか，連絡ノートで毎日伝えることが母親の安心につながる.

*2
子ども主体で，自然に母乳を欲しがらなくなること.

- たとえばクラス懇談会などで，母親同士で話し合う場所を設ける. 卒乳[*2]について困っていること，工夫していることなどを話し合う.

離乳について

- 何をどれだけ食べたか，連絡ノートで毎日家の様子，園の様子を伝え合う.
- 給食のレシピを伝え，離乳食の作り方を保護者に指導する.
- 離乳食の量と乳汁の量を調節することを保護者に伝える.
- 離乳食は順調には進まないことがしばしばあるので，そのことを保護者に伝える.
- ほかの子どもとは比べず，その子どもにあった速度で，食事の形態・内容を決めていくことを伝え，安心させる.
- クラス懇談会など，保護者同士で話し合う場所を設ける.

❶ 6か月未満児の食育のねらいおよび内容

1）ねらい
（1）お腹がすき，乳（母乳・ミルク）を飲みたいとき，飲みたいだけゆったりと飲む．
（2）安定した人間関係のなかで，乳を吸い，心地よい生活を送る．

2）内容
（1）よく遊び，よく眠る．
（2）お腹がすいたら，泣く．
（3）保育士にゆったり抱かれて，乳（母乳・ミルク）を飲む．
（4）授乳してくれる人に関心をもつ．

3）配慮事項
（1）一人ひとりの子どもの安定した生活のリズムを大切にしながら，心と体の発達を促すよう配慮すること．
（2）お腹がすき，泣くことが生きていくことの欲求の表出につながることを踏まえ，食欲を育むよう配慮すること．
（3）一人ひとりの子どもの発育・発達状態を適切に把握し，家庭と連携をとりながら，個人差に配慮すること．
（4）母乳育児を希望する保護者のために冷凍母乳による栄養法などの配慮を行う．冷凍母乳による授乳を行うときには，十分に清潔で衛生的に処置をすること．
（5）食欲と人間関係が密接な関係にあることを踏まえ，愛情豊かな特定の大人との継続的で応答的な授乳中のかかわりが，子どもの人間への信頼，愛情の基盤となるように配慮すること．

（厚生労働省．保育所における食育に関する指針．保育所における食を通じた子どもの健全育成〔いわゆる「食育」〕に関する取組の推進について．2004．）

考えてみよう！ thinking!
入園当初は母子にとって新しい環境です
園側がどう支えるか，次の事例から考えましょう

　入園時，Yちゃんは生後6か月．自宅では母乳のみで，育児用ミルクを練習してみたが，嫌がって飲まない．離乳食は重湯のみで開始したばかりだった．入園初日が初めて母親と離れる状態だった．

　ほかの子どもとYちゃんは離して，静かな場所で育児用ミルクを飲ませようとするものの，まったく飲まない．2日目〜5日目もミルクは飲まず，保育士に抱かれて1日を過ごしていた．

　母親はそんな状態のYちゃんのことが心配で，仕事を早く切り上げて迎えにきていた．母親は自分と離れていれば，お腹をすかせてミルクを飲むものと思っていたが，うまくいかずあせっていた．そのせいで仕事も捗らず，ますます母親の悩みは深くなっていた．

　そこで母親は保育士，栄養士と相談して，冷凍母乳を持ち込むことにした．保育士から「きっと大丈夫ですよ」と声を掛けてもらったことで，少し気持ちが落ち着いた．

　そして，その言葉どおりに冷凍母乳が功を奏した．Yちゃんは徐々に離乳食も食べるようになり，冷凍母乳に加えてミルクも飲めるようになってきた．やがて離乳食も完食できるようになり，家でもミルクを飲めるようになった．

　母親はYちゃんを保育園に預けることを重荷に思わなくなり，仕事にも励めるようになった．その頃からYちゃんは，保育士に笑顔もよく見せるようになり，友達にも興味をもち始め，環境に順応していった．

第3章｜子どもの発育・発達と栄養・食生活

section 2 乳幼児の咀嚼機能の発達と食事提供

- 乳幼児期の咀嚼機能の発達は著しい．この時期の乳汁の飲み方，離乳食の食べさせ方は咀嚼機能の発達に影響し，それは将来の健康にもかかわってくる．
- 哺乳機能として，生後すぐに哺乳反射がみられる（❶）．母親の乳首や哺乳瓶に反射で吸いつく生まれつきもった能力である．口の中で活発に舌を動かし，乳汁を吸っている．この間に食べ物を食べる準備が始まり，この哺乳反射は生後5～7か月でなくなる．
- 哺乳反射がなくなり始める5か月ごろから，なめらかにすりつぶした食物を舌や歯ぐきにあてながら，飲み込むことができるようになる．この状態を成熟嚥下といい，摂食機能が働き始め，離乳食を開始する準備ができたことを示す．
- 歯が生えてきたら，噛む，前歯で噛み切ることが可能となる．歯が生えたらしっかり噛む習慣をつけることが大切である．なぜならば，しっかり噛むことは，哺乳反射のように生まれつきもった能力と異なり，学習し，初めて身に付く能力だからである．咀嚼機能の発達の目安（❷）を元に，子どもの発達状況を加味しながら，離乳食を順序を追って進めていく．

♪丈夫な歯で食事を楽しもう
→ p.9

❶ 摂食機能の発達の概要

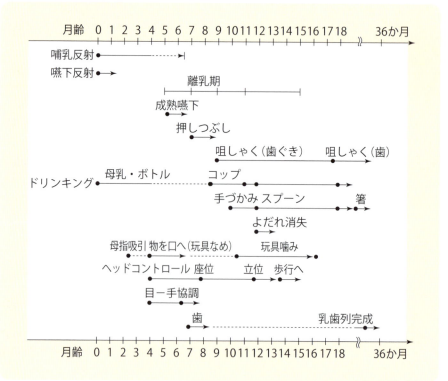

（森基子ほか. 応用栄養学 第10版. 東京：医歯薬出版；2015.）

❷ 咀嚼機能の発達の目安について

新生児期〜	哺乳反射*によって，乳汁を摂取する． *哺乳反射とは，意思とは関係ない反射的な動きで，口周辺に触れたものに対して口を開き，口に形のある物を入れようとすると舌で押し出し，奥まで入ってきたものに対してはチュチュと吸う動きが表出される．
5〜7か月ごろ	哺乳反射は，生後4〜5か月から少しずつ消え始め，生後6〜7か月ごろには乳汁摂取時の動きもほとんど乳児の意思（随意的）による動きによってなされるようになる．

哺乳反射による動きが少なくなってきたら，離乳食を開始

離乳食の開始

◆口に入った食べものを嚥下（飲み込む）反射が出る位置まで送ることを覚える．

〈支援のポイント〉
- 赤ちゃんの姿勢を少し後ろに傾けるようにする．
- 口に入った食べものが口の前から奥へと少しずつ移動できる滑らかにすり潰した状態（ポタージュぐらいの状態）．

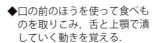

7, 8か月ごろ

乳歯が生え始める
（萌出時期の平均）
下：男子8か月±1か月
　　女子9か月±1か月
上：男女10か月±1か月

上顎と下顎が合わさるようになる

◆口の前のほうを使って食べものを取りこみ，舌と上顎で潰していく動きを覚える．

〈支援のポイント〉
- 平らなスプーンを下唇にのせ，上唇が閉じるのを待つ．
- 舌で潰せる固さ（豆腐ぐらいが目安）．
- 潰した食べ物をひとまとめにする動きを覚えはじめるので，飲み込みやすいようにとろみをつける工夫も必要．

9〜11か月ごろ

＊前歯が生えるにしたがって，前歯でかじりとって一口量を学習していく．

前歯が8本生え揃うのは，1歳前後

◆舌と上顎で潰せないものを歯ぐきの上で潰すことを覚える．

〈支援のポイント〉
- 丸み（くぼみ）のあるスプーンを下唇の上にのせ，上唇が閉じるのを待つ．柔らかめのものを前歯でかじりとらせる．
- 歯ぐきで押し潰せる固さ（指で潰せるバナナぐらいが目安）．

12〜18か月ごろ

奥歯（第1乳臼歯）が生え始める
（萌出時期の平均）
上：男女1歳4か月±2か月
下：男子1歳5か月±2か月
　　女子1歳5か月±1か月

※奥歯が生えてくるが，噛む力はまだ強くない．

奥歯が生え揃うのは2歳6か月〜3歳6か月ごろ

◆口へ詰め込みすぎたり，食べこぼしたりしながら，一口量を覚える．
◆手づかみ食べが上手になるとともに，食具を使った食べる動きを覚える．

〈支援のポイント〉
- 手づかみ食べを十分にさせる．
- 歯ぐきで噛み潰せる固さ（肉だんごぐらいが目安）．

（参考文献）
- 向井美惠編著．乳幼児の摂食指導．東京：医歯薬出版；2000．
- 日本小児歯科学会．日本人小児における乳歯・永久歯の萌出時期に関する調査研究．小児歯科学雑誌 1988；26（1）：1-18．

※本図は「授乳・離乳の支援ガイド」2019年版には掲載されていません．

（厚生労働省．授乳・離乳の支援ガイド．2007．）

乳幼児の味覚機能の発達と食事提供

- 味覚の形成には，離乳期から幼児期の食経験が大きく影響するといわれている．離乳期は母乳や育児用ミルクに加えて，いろいろな食べ物の味を経験しながら味覚の幅を広げていく時期である．離乳食は初めての食経験であり，味覚形成の基礎となるため，非常に重要である．
- 乳幼児期にうま味を中心に，ほかの4つの味（甘味・酸味・塩味・苦味）をきちんと経験する[*1]ことが味覚を育むことにつながり，豊かな食生活を送ることにもなる．
- 乳幼児の食事はうす味が基本である．この時期からうす味を心がけることによって，食べ物本来の味を楽しむことができ，高血圧などの生活習慣病の予防にもつながる．

味の感じ方

- 乳児は大人より味に敏感だといわれている．ある味を与えて，その反応をみると乳児はいろいろな反応を示す．たとえば，酸っぱいものを口に含むと，顔をしかめたような表情になる．甘いものを味わっていると，穏やかに口を動かす．このように味によって表情が変化することは，乳児が味を認識しているからである．

*1 酸味は，酢を入れたさっぱりスープ，梅干し入りごはん，サラダのドレッシングなどで自然に感じるようにする．
苦味は，苦味のある野菜（ピーマンなど）で体験することができる．

- 甘味がする糖類や，うま味があるアミノ酸類，ミネラルとしての塩味を好む．腐敗したものに含まれている酸味や，大半の毒物に含まれている苦味を嫌う．
  - ▶ 甘味は生まれたときから好む味とされている．
  - ▶ 塩味がわかるようになるのは3か月ごろからであり，好きになるのは4〜6か月ごろからといわれている．

5つの基本味

- 味には，甘味・酸味・塩味・苦味・うま味の5つがある．これらは，ほかの味を混ぜても作ることのできない独立した味で，「基本味」と呼ばれている．
- 甘味といえば，ケーキやまんじゅう，キャンディーやチョコレートなどの菓子類，酸味といえばレモンや梅干，酢の物，塩味といえば漬物やみそ汁，苦味といえばピーマンやトマト，コーヒーやゴーヤなどがある．
- うま味とは昆布やかつお節，きのこ，野菜などからとった，だしの味である．
  - ▶ 代表的なものとして昆布のグルタミン酸，かつお節のイノシン酸，しいたけのグアニル酸がある（❶）．うま味成分の一つであるグルタミン酸は母乳にも含まれており，生まれてすぐに，うま味と出会っていることになる．

❶ うま味の種類

うま味の種類	多く含まれている食品
グルタミン酸	昆布，チーズ，のり，トマト，しめじ，あさり，玉露，白菜
イノシン酸	かつお節，マグロ，鶏肉，豚肉，牛肉，のり，ずわいがに，うに
グアニル酸	干ししいたけ，きのこ，ホタテ貝，ドライトマト，ポルチーニたけ

試してみよう！ Try it!

だしを飲み比べて，おいしさを比較してみよう おいしいのはどっち？

①昆布とかつお節からだしをとり，それぞれ別のコップに注ぐ．昆布だしのコップには青，かつおだしのコップには赤の目印をつける．この時点では飲み比べをする人に，どちらがどのだしかは教えない．

②2つのグループに分かれて，一方のグループは青のコップのだしを飲み，次に赤のコップのだしを飲む．

③もう一方のグループは，赤のコップのだしを飲み，次に青のコップのだしの順に飲む．

→青のコップと赤のコップ，どちらのだしのほうが「おいしい」と感じただろうか．結果の解説はp.57．

うま味の相乗効果

- うま味成分は「アミノ酸」系と「核酸」系に大きく分かれる．
    - 昆布だしのうま味であるグルタミン酸は，たんぱく質を構成する20種類のアミノ酸のうちの一つである．
    - かつお節のうま味成分であるイノシン酸や，しいたけのうま味成分であるグアニル酸は核酸に分類される．
- 「アミノ酸」の成分と「核酸」の成分を足すと，うま味がぐっと強くなる．これはうま味の相乗効果によるものである．日本料理では，昆布でだしをとったあと，かつお節でだしをとるとおいしさが増すことはわかっている．こうした相乗効果は，日本料理だけでなく，西洋料理の牛すじ（核酸系）とたまねぎ（アミノ酸系）などの野菜を使って作るフォンや，トマト（アミノ酸系）と魚介類（核酸系）を合わせたトマトソースがある．

子どもに伝えたいおいしいだしの味

- うま味成分は日本人になじみの深いだしに多く含まれている．だしのうま味成分の力を発揮するには，香りの働きがとても重要である．だしはうま味と香りで成り立っており，だしをおいしいと感じるためには，この二つが欠かせない．うま味は本能的においしいと感じるものであるが，香りは後天的なもので，子どもの頃にだしの味や香りを経験していないとその後も受け入れにくいといわれている．
- 現在はインスタントのだしの素を利用する人が多いが，インスタントのコンブだ

知っておこう！ Notice!

和食の食べ方：口中調味とは？

　口中調味とは，ご飯とおかず，汁物を交互に食べて，本来味のないご飯をおかずで味付けして食べる方法で，日本独特の食べ方である．おかずからのたんぱく質や脂質の過剰摂取を防ぐことができ，ご飯を中心に多種類の食品を組み合わせることで栄養のバランスが整う．また，一口ずつ味を切り替えることで食事全体の味わいを楽しむこともできる．このような食べ方も味覚を育てる要因となる．

しの素にはヨウ素が多く含まれている．多用することでヨウ素摂取過剰になる恐れがあるので注意が必要である．

うす味の大切さ

- 現在の日本では，成人の約 2.6 人に 1 人が高血圧といわれている．
- 高血圧[*2]とは，血管に強い圧力がかかりすぎる病気で，日本人の多くが遺伝と不健全な生活習慣が重なって起きる「本態性高血圧」である．生まれつき高血圧になりやすい人が食塩の過剰摂取，アルコール，タバコ，運動不足などの生活習慣を続けることによって心臓や血管に負担をかけ，高血圧になってしまう．
- 高血圧は成人になってから予防するのではなく，子どもの頃から望ましい生活習慣を心がけることが重要である．高血圧には，食塩の過剰摂取が大きく関わっている．私たちの体には，体内の環境を一定に保とうとするしくみがある．食事で塩分をとりすぎると，塩分を薄めようとして体内の水分が増える．血液にも同じ作用が働いて容積が増え，同時に血管壁の細胞も膨張するので，血管は狭くなり，血圧が上がる．
- 血圧をちょうど良い状態にするには，食塩のとりすぎに気を付けて，うす味の食事にすることが最も重要である．しかも乳幼児の頃から気をつける必要がある．以下にうす味でもおいしく食べるための工夫をあげる．
    - ▶ 食材そのものの味をいかす．新鮮な野菜は調味料を加えなくてもおいしい．食材は新鮮なものを選ぶ．
    - ▶ うま味をいかす．だしをいかした和食は，だしが素材そのものの味を引き出してくれるため，味付けが薄くても十分おいしく感じることができる．
    - ▶ 離乳食では，ほとんど調味料は使わない．1歳をすぎたら醤油やみりん，塩を少々使う程度とする．大人と同じ味つけは乳幼児にとって濃すぎるため避ける．
    - ▶ 市販の加工食品は保存性を保つため，味つけを濃いめにしてある．乳幼児には控えたい食品である．

[*2] 成人では，診察室で測った血圧が 140/90mmHg 以上をいう．

p.55 試してみよう！解説：一般的には後で飲んだほうが，うま味が強く，おいしいと感じることが多い．これは，先に飲んだだしの味が残っており，口の中で相乗効果が生じるためである．

知っておこう！ Notice! 日本人が発見した味 「うま味」（UMAMI）

1908 年に，池田菊苗博士〔東京帝国大学（現東京大学），味の素創立者〕が昆布だしの味を決めている成分がグルタミン酸であることを発見し，この味を「うま味」と命名した．1980 年代になるとグルタミン酸，イノシン酸，グアニル酸などによる味を「うま味」（英語では UMAMI）と呼ぶことになり，日本で発見されたうま味は，第 5 の味として国際的にも学術用語として認められたのである．

第3章｜子どもの発育・発達と栄養・食生活

section 4 乳幼児の消化吸収機能の発達と食事提供

- 新生児，乳児の消化吸収機能は未熟なので，それに応じた食事を提供して，消化吸収機能の発達を促していくことが大切である．
- 特に，炭水化物，脂質，たんぱく質の3大栄養素はエネルギー源であり，これらを効率よく消化吸収していくことが，乳幼児の成長と発達を促すことにもなる．

♪糖質の代謝と栄養学的意義
→ p.32

炭水化物の消化吸収機能の発達

- 炭水化物のうち，消化吸収されるものを糖質という．主な糖質には，多糖類のでんぷんや2糖類のショ糖（砂糖），乳糖がある．
- でんぷんは膵液に含まれるアミラーゼという酵素で分解される．しかし，新生児期にはアミラーゼがほとんど分泌されないため，でんぷんを多く含むご飯やパンなどを食べることはできない．アミラーゼの分泌量は離乳期以降，年齢とともに徐々に上昇し，3歳ごろには成人と同等のレベルに達する．
- ショ糖，乳糖は，腸液の分解酵素（ショ糖はシュクラーゼ，乳糖はラクターゼ）で分解される（❶）．乳糖の分解酵素であるラクターゼの分泌は出生時が最も多く，成人になると少なくなる．乳糖は母乳の糖成分の90%以上を占めていることから，乳幼児は母乳・育児用ミルクを最も体内に取り込みやすい消化吸収機能になっていることがわかる．

♪脂質の代謝と栄養学的意義
→ p.34

*1
分子に含まれる炭素数が11以上の脂肪酸．魚油のエイコサペンタエン酸（EPA），大豆油などのリノール酸，オリーブオイルのオレイン酸などがある．

脂質の消化吸収機能の発達

- 長鎖脂肪酸[*1]は食物のなかの脂質の大部分を占める．脂質を分解するリパーゼの活性は，新生児，乳児は成人に比べて低値であり，また脂質の消化吸収を手助けする胆汁酸濃度も低い．しかし，舌から分泌されるリパーゼと，母乳中に含まれるリパーゼの代償作用で，特に母乳栄養児においては脂質の消化吸収は比較的よく保たれている．

❶ 主な栄養素と消化酵素

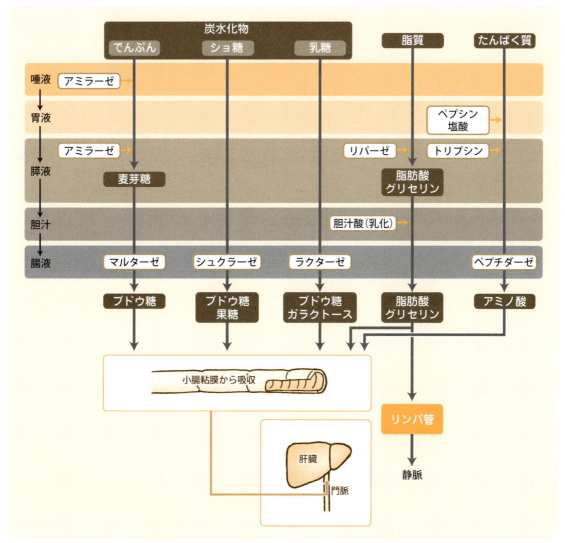

- 中鎖脂肪酸[*2]は膵リパーゼや胆汁酸がなくとも，細胞内のリパーゼにより脂肪酸まで分解され，門脈を経て直接肝臓へ行く．

たんぱく質の消化吸収機能の発達

- たんぱく質は，胃液に含まれる分解酵素ペプシンの作用により一部は消化されるが，出生時のペプシン活性は成人の10％以下のため，消化吸収機能は非常に弱い．生後2日目にはペプシン活性が出生時の4倍近くなり，2歳ごろには体重当たりの換算で，成人と同等の数値となる．
- トリプシンは，生後12か月の間に徐々に活性が増し，2～3歳まで食物への適

*2
分子に含まれる炭素数が8～10の脂肪酸．母乳，牛乳，ヤシ油，ココナッツ油（カプリル酸）などに含まれる．

♪たんぱく質の代謝と栄養学的意義
→p.30

第3章　子どもの発育・発達と栄養・食生活

応を反映し増加する.
- ペプチダーゼ活性に関しては，新生児においても十分な発達が認められる.

消化吸収機能の発達に影響を与えるもの

- 消化吸収機能の発達に影響を与えるものとしては，各消化吸収過程の成熟度，経口摂取状況，消化管ホルモンの動態によって決定される.
- 前述のように炭水化物，脂質，たんぱく質の消化吸収機能は，新生児では未熟であるが，口から食事をとり，腸を経て消化吸収される過程にしたがって，徐々に発達することが知られている.
- 「離乳食の進め方の目安」を参考に進めていくとよい.

♪離乳食の進め方
　の目安
→ p.70

考えてみよう！
thinking!
食物アレルギーの注意点

　Aさんの第三子は，上の2人の出生時よりも大きい3,700gで生まれ，母乳，離乳食ともに順調に進んでいた.
　夏の暑い時期，上の2人に牛乳とメロンをおやつに与えていると，8か月の第三子も欲しがったため，少量の牛乳にメロンをつぶして与えた.4口目まで進めたとき，急に激しく泣き出し，発疹が体中に出た.あわてて病院に連れていくと，「危ないところでした.発疹は体の内部の気道にも出ていて，息がしづらくなっていました」と言われた.その後，アレルギー検査をすると牛乳への反応が陽性であった.Aさんは家族全員の牛乳を豆乳に変更し，第三子が3歳になるまで，それを続けた.
　その後，第三子は牛乳を飲めるようになり，今では，アレルギー症状はみられない.

知っておこう！
Notice!
乳糖不耐症と牛乳アレルギーの違い

　乳糖不耐症は牛乳の成分である乳糖（ラクトース）を消化吸収するため分解する消化酵素のラクターゼの小腸での分泌不足が原因で起こり，腹痛や下痢などの症状がでる.日本人を含めた多くの民族では，ラクターゼの分泌は乳児に多く，離乳後に減少する.そのため，年齢がいって乳糖不耐症になることもある.温めた牛乳なら飲めるとか，乳糖を減らしてある牛乳などで対処できることが多い.
　一方，牛乳アレルギーは，牛乳を摂取した後にアレルギー反応が起こり，腹痛，下痢，蕁麻疹，呼吸困難やアナフィラキシー反応などが起こることもあり，より深刻な病態といえる.原因物質は，牛乳に含まれるカゼインやα，βラクトグロブリンなどのたんぱく質で，乳幼児に多く，上記の例と同様，3歳以降に自然治癒することが多いとされている.

仕上げ磨きの基礎知識

上の前歯が生えたら仕上げ磨きを始めよう．子どもが自分で上手に磨けるようになる小学校低学年ごろまでは仕上げ磨きが欠かせない．

ポイント①
歯ブラシを歯の面にきちんと当てる

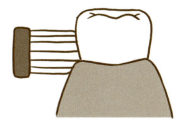

毛先を歯と歯ぐきの境目，歯と歯の間に当てる．

ポイント②
ブラッシングはやさしく

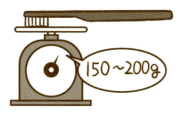

毛先が広がらない程度の力．強すぎるとかえって歯垢が取れにくくなる．

ポイント③
丁寧に小刻みに動かす

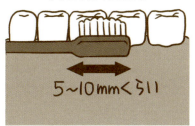

1～2本ずつを丁寧に磨く．磨き幅は5～10mm程度．

ポイント④
3分以上かけて磨こう

1か所につき20回以上磨こう．磨く力が強すぎると，子どもが痛がって歯磨きを嫌う原因にもなるので注意しよう．

Q 磨くタイミングはいつ？
A 毎食後が理想的．寝る前や夕食後は必ず磨いてあげよう．

Q どの歯に気をつけて磨けばいい？
A 乳歯の時期は上下の奥歯の溝，上の前歯がむし歯になりやすいので要注意．

（参考：LION http://clinica.lion.co.jp/oralcare/shiage.htm）

第3章｜子どもの発育・発達と栄養・食生活

section 5a 乳児期栄養—乳汁栄養

乳児期の成長と発達（❶）

- 乳児期とは出生から満1歳未満までをいい，出生から28日未満を新生児という．
- 乳児期の発育
    - ▶ **身長**：出生時 50cm／満1歳（出生時の1.5倍）75cm
    - ▶ **体重**：出生時 3,000g／3か月（出生時の2倍）6,000g／満1歳（出生時の3倍）9,000g
- 出生した後，最も発育する時期のため，体重1kg当たりのエネルギーおよび栄養素の摂取量は月齢が小さいほど多い．しかし，消化吸収機能は幼児期に比べ未熟なため，発達にあわせた摂取法で食事を与えなければならない．出生から5か月ごろまでは乳汁栄養のみで，その後，徐々に離乳食へ移行していく．
- 乳汁栄養には，母乳栄養（母乳のみ与える），混合栄養（母乳と育児用ミルクを与える），人工栄養（育児用ミルクのみ与える）の3つの栄養方法がある．

♪ 乳児，幼児は頭でっかち

身長と頭長の比は出生時4：1（4頭身），2歳で5：1（5頭身），6歳で6：1（6頭身），成人で7〜8頭身．

母乳栄養の利点と留意点

- 母乳栄養は，人間が子どもを産み，育てるのに，最も自然な栄養法である．母乳には次のような栄養成分が含まれる．
    - ▶ **初乳**：分娩後数日間出る黄色い母乳で，成熟乳に比べるとたんぱく質，ミネラルが多く，脂質，乳糖が少ない．特に感染症を防御する免疫グロブリンやラクトフェリンが多く含まれるので，必ず飲ませたい．
    - ▶ **成熟乳**：生後14日前後で母乳の成分や分泌量は一定になる．初乳と成熟乳になる間を移行乳という．乳児にとって正常発育するのに適した消化吸収しやすい栄養成分を含んでいる．
    - ▶ **たんぱく質**：母乳は牛乳に比べカゼインが少なく消化されやすい．
    - ▶ **脂質**：牛乳と脂質の量はあまり変わらないが，質が違う．体内で合成されない必要不可欠な不飽和脂肪酸（必須脂肪酸）が多い．

❶ 赤ちゃんの発育・発達の目安

(参考：日本小児保健協会編. DENVER Ⅱ―デンバー発達法―. 東京：日本小児医事出版社；2009.)

▶ **炭水化物**：多くは乳糖である．またオリゴ糖を含み，乳児の腸管でのビフィズス菌の増殖に関与している．

▶ **ミネラル**：母乳は牛乳の1/3未満の濃度で乳児の未熟な腎臓に負担がかからない．また，カルシウムとリンの比率が2：1でカルシウムの吸収効率がよいなど，ミネラルの配分がよく，利用率がよい．

⦿ 子どもへの利点

- **乳児の最適な栄養成分組成で代謝負担が少ない**：生後5か月ごろまで正常発育するのに必要なエネルギーおよび栄養素が含まれている．乳児の未熟な内臓に負担のかからない消化吸収のしやすいものである．また，育児用ミルクに比べ，母乳のたんぱく質は同種のたんぱくのため，アレルギーを起こしにくい．
- **感染症の罹患率および重症度の低下**：母乳には免疫物質[*1]が多く含まれている．特に初乳に多い．これらを摂取することで，感染症に罹患しにくく，かかった場合も軽症ですむ．また，授乳が簡単で授乳時の細菌感染の危険率が低い．

*1 免疫グロブリン，ラクトフェリン，リゾチーム，白血球など．

⦿ 母親への利点

- **母体の回復の促進**：母乳分泌にかかわるホルモンのオキシトシンは子宮筋の収縮を促し，母体の産後の回復を早める．また母乳を継続すると，母体は出産前の体重に戻りやすい．

⦿ 母子への利点

- **母子関係の形成**：母乳を与えることで，母と子の密接なスキンシップができ，親子ともに情緒的安定がみられる．

⦿ 授乳方法

- ユニセフやWHOでは，分娩後30分以内の授乳開始を進めている(「母乳育児成功のための10か条」WHO・ユニセフ共同声明，1989年)．
- 生後数日は母乳量が大変少ない．また母子ともに不慣れなため，授乳回数が多く，不規則である．1か月程度経つと授乳の回数や間隔がある程度定まってくる．
- 子どもが欲しがるときに与える自律授乳がよい．
- 落ち着く環境でしっかりと抱いて，目をみながら授乳する．授乳終了後は乳児を立てて，とんとんと背中を軽くたたき，排気(げっぷ)をさせる．胃の括約筋が未熟なため授乳中に母乳と一緒に空気を飲み込んでしまうので，それと一緒に吐乳(いつ乳)することを防ぐためである．
- 授乳後，乳房に母乳が残っていれば，搾るとよい．母乳量を減らさないためと，母親の乳腺炎を防ぐためである．

> **冷凍母乳** → p.50, 131

> **冷凍母乳の扱い方**
>
> 仕事開始後の母親も，母乳を冷凍することにより，母乳栄養を継続することが可能である．母乳を搾乳器で搾乳し，専用の哺乳パックを使用して，急速冷凍する．使用するときは，流水で手早く解凍し，殺菌した哺乳瓶に移し，37℃前後に温め，すぐ授乳させる．

◉ 母乳の問題点

▶ **乳児ビタミン K 欠乏性出血**：母乳栄養の場合，ビタミン K が不足することがある．母乳栄養児の腸内はビフィズス菌が多く，ビタミン K が作られにくい．ビタミン K 不足は頭蓋内出血などを引き起こすおそれがあるため，現在は全新生児にビタミン K_2 シロップを出生直後，生後 7 日，1 か月健診時に飲ませるようにしている．

▶ **ウイルス性感染症**：後天性免疫不全症候群（AIDS）は，母乳を通じ母親から子に感染する危険性があるので，母乳を与えるのは望ましくない．母親が活動性結核の場合も同様である．

▶ **飲酒・喫煙**：アルコールやニコチンは母乳に移行するので摂取してはいけない．

▶ **薬剤**：授乳中に服用してもよい薬とよくない薬がある．具体的な薬剤名は国立成育医療研究センターのホームページ「ママのためのお薬情報」[*2] に示されている．

> **ビタミン K の働き** → p.36

> *2
> http://www.ncchd.
> go.jp/kusuri/
> lactation/

◉ 母乳不足のサイン

▶ 授乳間隔が短くなる，1 回の哺乳時間が長くなる（20 分以上），便秘がちになる（数日間便が出ない），体重の増加が少ない（20g/ 日以下），よく眠らない，いらいらしている．

> **話し合ってみよう**
>
> 園児に母乳不足が疑われた場合，どのように対応すればいいでしょうか．

人工栄養の留意点（母乳栄養との違い）

- 母親の母乳不足や疾病，仕事への復帰などの理由により母乳を摂取することができない場合に，母乳の代替品として摂取するのが乳児用調製粉乳（人工栄養）である．
- 乳児用調製粉乳とは，「健康増進法」により，特別用途食品の「乳児用調製粉乳」に分類され，生まれてから離乳期までの子どもの育児用に牛乳の成分を調整したもので，一般的に「育児用ミルク」という．原料の牛乳の組成を母乳に近づけるため，栄養成分を置換，強化，除去などの改良がされたものである（❷）．
- 日本の乳製品メーカー各社の調製粉乳は，全授乳期を通して同一濃度（12 〜 14 ％）による単一調乳方式で，スプーン 1 杯の粉乳を 20mL に溶かして利用するように成分が調製されている（❸）．
- 月齢に関係なくミルクの濃さは一定で，1 回に飲む量は月齢に応じて増えていく．

> **健康増進法**
>
> 国民の健康維持と現代病予防を目的として制定された（2003 年）．2020 年の改正では受動喫煙対策などが取り入れられた．

第3章　子どもの発育・発達と栄養・食生活

❷ 牛乳，母乳，育児用ミルクの栄養成分の比較（100mL 中）

			牛乳 （100g）	母乳 （100g）	*調乳液 100mL （調乳濃度 13%）
エネルギー		kcal	61	61	66
たんぱく質			3.3	1.1	1.6
脂質		g	3.8	3.5	3.5
炭水化物			4.8	7.2	7.3
ミネラル	ナトリウム	mg	41	15	18
	カリウム		150	48	65
	カルシウム		110	27	48
	リン		93	14	27
	鉄		0.02	0.04	0.8
ビタミン	A （レチノール 活性当量）	µg	38	46	73
	K		2	1	3.1
	B_1	mg	0.04	0.01	0.05
	B_2		0.15	0.03	0.09
	ナイアシン		0.1	0.2	0.7
	C		1	5	6.9

（文部科学省. 日本食品標準成分表 2020 年版＜八訂＞. 2020.）

▶ **1～2 か月**：約 140mL

▶ **3～4 か月**：約 200mL

▶ **5～6 か月**：約 220～240mL

◎ 育児用ミルクの種類

▶ **一般的な育児用ミルク**：生まれてから離乳期までの赤ちゃんの育児用に牛乳の成分を調整したもので，一般的な育児用ミルクのこと．

▶ **フォローアップミルク**：9 か月ごろから，不足しがちな栄養素（鉄，ビタミン）を補うためのミルク．母乳栄養で離乳食を十分食べている場合は，母乳をフォローアップミルクに代える必要はない．

▶ **その他**：低出生体重児用粉乳，牛乳アレルギー用アレルゲン除去ミルク，大豆たんぱく調整乳などがある．

◎ 育児用ミルクの栄養成分

▶ **たんぱく質**：カゼインを一部乳清たんぱく質に置き換え，タウリン，シスチンが添加され，アミノ酸組成も母乳に近づけている．

▶ **脂質**：動物性脂肪を植物性脂肪に置換し，脂肪酸組成を母乳に近づけている．必須脂肪酸のリノール酸，リノレン酸やドコサヘキサエン酸（DHA）を添加している．

▶ **炭水化物**：乳糖，オリゴ糖を添加している．

♂乳児用液体ミルク

乳児用液体ミルク（乳児用調製液状乳）の製造・販売が平成 30 年から可能となった．液体ミルクとは液状の人工乳を容器に密封したもので，常温保存が可能．調乳の手間がなく，消毒した哺乳瓶に移し替えて，すぐに飲むことができる．災害時などに備えて備蓄可能である．

❸ 育児用ミルクの調乳方法

1. 器具をそろえる

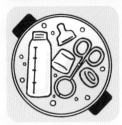

哺乳瓶，乳首，乳首入れ，びんばさみ，ブラシ，ポット，鍋など，専用の器具をそろえ，ひとまとめにしておく．

▶**よく洗って消毒する**
器具は洗って消毒する．煮沸消毒は器具がかくれる程度に水を入れ，沸騰してから5～10分間煮沸する（乳首は3分間）．このほか，薬物消毒方法，電子レンジによる殺菌方法もある．

2. ミルクをはかる

袋の開封口を切り取り，イラスト面に指を添えて持ち，消毒した哺乳瓶に必要量のキューブを入れる．

▶**顆粒タイプの場合**
スプーンにすくった粉ミルクをフタの折り曲げ部分で正確にすりきる．必要量の粉ミルクを消毒した哺乳瓶に入れる．

3. お湯を入れ，ミルクを溶かす

煮沸後，冷ましたお湯（70℃以上*）を，できあがり量の2/3ほど入れ，ミルクが飛び出さないよう，乳首とカバーを付け，円を描くようによく振って溶かす．さらにできあがり量まで煮沸後のお湯，または煮沸後の湯冷ましを足す．

※哺乳瓶が熱くなるので，やけどをしないよう十分注意をする
※熱いお湯を使うので，乳児のそばで調乳はしてはいけない

▶**お湯を足すときのポイント**
できあがり量の目盛は泡の下で合わせる．

4. 水で冷ます

乳首を付けて軽く振り，水に浸すなどして40℃くらいまで冷ます．

5. 温度を必ず確かめる

腕の内側に少量のミルクをたらす．温かく感じる40℃くらいが適温．
※必ず体温くらいまで冷めていることを確認する．

6. ミルクを飲ませる

ミルクの出具合を見ながらキャップをゆるめて，乳首を十分に含ませる．乳首の中がいつもミルクで満たされた状態で飲ませる．

▶**飲み終わったらゲップをさせる**
飲み終わったら，乳児の顎が肩にくる位まで抱き上げ，背中を下から上にさするか，軽く叩いてゲップをさせ，空気を吐かせる．

*：2007年にWHO（世界保健機関）とFAO（国連食糧農業機関）より「乳児用調製粉乳の安全な調乳，保存および取扱いに関するガイドライン」が公表され，2007年6月に厚生労働省の指導のもと，調乳に関して従来の40～50℃から70℃以上に調乳温度が改訂された．サカザキ菌（Cronobacter sakazakii）に感染するリスクを減らすためである．

（参考：明治 ほほえみクラブ http://www.meiji-hohoemi.com/info/catalog/makemilk2005.html）

- ミネラル：母乳に近いミネラル量にし，鉄，銅，亜鉛を添加している．
- ビタミン：食事摂取基準を満たすように添加している．

◉ 混合栄養

- 母乳が不足したときに育児用ミルクで補う栄養法．
- 補う方法は，授乳ごとに不足を補う場合と母乳が出にくい時間帯のみ育児用ミルクにする方法がある．

乳汁栄養時の食の問題と対応

- 離乳食の開始前に，薄めた果汁や塩分のない野菜スープの液汁を与える必要はない．
- 母乳不足の場合は要因を考え，できるだけその要因を解決するように支援する．
    - 母乳不足で育児用ミルクを足すとき，乳児が育児用ミルクを飲まないこともある．そのようなときは，お腹が空いているときに育児用ミルクを飲ませるとよい．母乳栄養が推奨されているが，育児用ミルクも母乳の成分に近いものに改良されている．
- 親子のスキンシップの面からも授乳栄養は大切であり，無理に断乳の時期を設定してやめさせなくともよい[*3]．卒乳の時期を待とう[*4]．
- 乳児は親の生活に大きく影響される．この時期，規則正しい摂食リズムを作るべきだが，乳児の生活を親主体の生活リズムに合わせてしまうと，親の生活リズムに乱れがある場合，乳児の生体リズムと摂食リズムがずれてしまう．すると乳児の乳汁および離乳食の栄養効率が下がるだけではなく，将来の乱れた生活リズムに連動し，正しい基本的な食生活習慣が身につかないケースがみられるので注意したい．

[*3] 離乳食の量と乳汁栄養の量の調節がうまくいかないケースもある．発育・発達状態を観察しながら乳汁量の調節をしていくが，母乳や育児用ミルクをやめるタイミングは難しい．離乳食が始まっても，初期は乳汁栄養が主体である．離乳食が順調に進めば乳汁栄養は徐々に減らしていく．

[*4] 母乳を飲まなくなることを断乳または卒乳という．断乳は無理にやめるニュアンスがあり，最近では勧められていない．卒乳は乳児が自然に母乳を欲しがらなくなることをいう．

section 5b 乳児期栄養―離乳食期栄養

離乳食の時期の目安

- 5～6か月ごろから開始して，12～18か月ごろに完了する．

◎ 離乳食の役割
- ▶ 成長するにしたがい乳汁だけでは栄養が不足してくる．
- ▶ 固形物をとることにより消化機能の働きを促す．
- ▶ 食物をつぶし，噛めるようにすることで，咀嚼・嚥下機能の働きを促す．
- ▶ 食物の味つけと，視覚，聴覚，嗅覚，触覚から，基本的な味覚が形成される．
- ▶ 家族や仲間とともに食べること（共食）で精神的な発達が促される．
- ▶ 大人の食事リズムに近づけていくことで，食習慣の基礎がつくられる．

🔑 **共食**
→ p.20

◎ 離乳食の開始の目安
- ▶ 首のすわりがしっかりして寝返りができる．
- ▶ 5秒以上座れる．
- ▶ 食物をじっとみる，手を伸ばそうとする，よだれや声を出すなど食物に興味を示す．
- ▶ スプーンなどが口に触れても舌で押し出すことが少なくなる*1．

*1
哺乳反射の減弱．
→ p.52

◎ 離乳食の進め方
- ▶ 口唇や舌の動き，消化機能に合わせて離乳食の固さや大きさを変えていく*2．
- ▶ 子どもの食べる様子をみながら，量や食品の種類を増やしていく．体調を崩していたり急に欲しがらなくなるときは無理に与えず，子ども自身の食べたい意欲を大事にする．
- ▶ 内臓の働きに負担がかかるので，塩分，脂肪，糖分は控えめにする．味覚の発達には素材そのもののおいしさや「だし」などのうま味をいかした味つけに慣れさせていく．
- ▶ 1，2回食の栄養は母乳や育児用ミルクが中心だが，3回食では食物を中心に栄養バランスを整えていく．
- ▶ 9か月以降は，鉄不足による貧血になりやすいので鉄の多い食品*3 を取り入れる．離乳食が支障なく行われていれば「フォローアップミルク」は必要としない．
- ▶ 12か月ごろには，自分自身で食べたい意欲が育つので，手づかみ食べが中心となる．手づかみしやすいスティック状の大きさのものを加えていく．
- ▶ 「離乳食の進め方の目安」を参考に，個人個人に合わせながらそれぞれのペースで進めていく（❶）．

*2
なめらかな状態のものを飲み込む練習から始めて，徐々にベタベタ状，ツブツブ状，コロコロ状へと移行する．

*3
レバー，カツオ，納豆，豆腐，きなこ，卵，ほうれん草，小松菜などが離乳食にしやすい．

🔑 **フォローアップミルク**
→ p.66

第3章 子どもの発育・発達と栄養・食生活

❶ 離乳食の進め方の目安

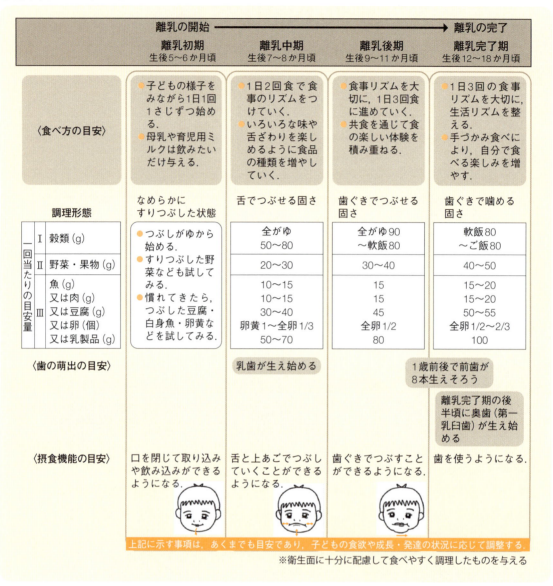

(厚生労働省. 授乳・離乳の支援ガイド. 2019. p.34.)

乳児保育と離乳

◉ 保育者の対応

▶ おもちゃを片づける，テーブルを拭くなど食事の環境を整える．

▶ 子どもの手を清潔にして，汚れてもいいようにエプロンなどを着けてから「いただきます」の挨拶をする．

▶ 離乳食を開始した頃は，だっこしてスプーンの食べ物をみせてから，下唇の上にのせながら口に運ぶ．舌は前後にしか動かず，唇を閉じるのが苦手なた

5, 6か月ごろの離乳食を与える姿勢

体と首の角度に注意して少し傾けた姿勢をとらせると食べさせやすい．

7, 8か月ごろの離乳食を与える姿勢

椅子の補助板に足のつく安定した姿勢をとらせる．

め，離乳食を口でとらえてもすぐにこぼしてしまうが，根気よく与える．
- ▶ 7〜8か月ごろは，飲み込むことが上手になるので，子どもから催促するようになる．与え方が速いと丸飲みを覚えてしまうので，できるだけ食べ物をみせながらゆっくり与える．飲み込むことが上手になれば，舌で押し潰せるようになる．
- ▶ 9〜11か月ごろは，形状や量には個人差があるので子どもの食べ方をよくみてそれぞれの食べる意欲を引き出す．食べ物を手でつかもうとしたり，スプーンを持ちたそうにするが上手には使えない．食べ物への関心の表れなので，ある程度自由にさせておく．食べさせるときは，前歯で食べ物を取り込めるようにする．
  - ……口の奥まで入れるとむせる原因になる．舌で食べ物を左右の歯ぐきに寄せる練習ができる形状のものを用意する．
- ▶ 12〜18か月ごろは，手先が器用になり，手づかみ食べを始め，スプーンやフォークを少しずつ使えるようになる．集中力は長くは続かないので食事を続けさせる言葉かけが大切である．
- ▶ 食後は「ごちそうさま」の挨拶をして，口の周りや手をきれいに拭く．

◉ 家庭との連携
- ▶ お互いに，子どものよりよい成長を願いながら情報交換を密に行う．
  - ……家庭での離乳食の進行状況を確認する．
  - ……身長・体重を成長曲線に記入し，成長の状態を確認する．
  - ……食事内容や形態，摂食状況，排便状況を保護者に連絡する．

◉ 月齢ごとの連携
- ▶ 5〜6か月ごろは，初めて口にする食材は家庭で試してもらい，食物アレルギーなどを確認しながら進める．
- ▶ 7か月以降は家庭で食べている食品の種類や量などを把握し，保育する場での対応と，家庭での対応を合わせていく．

乳児の食べやすい姿勢

スプーンが子どもの目線より高い位置では，あごの筋肉を緊張させるだけでなく，水分摂取においてはむせやすくなる．介助するときは，体幹だけでなく頸部の角度に気をつけながら水平に口に運ぶ．

第3章　子どもの発育・発達と栄養・食生活

♂食物アレルギー
　生活管理指導表
→ p.137

▶食物アレルギーの疑い，もしくは診断されている場合は除去食を実施することがある．主治医の指示のもとで除去あるいは代替食を検討し，実施する場合は経過を報告しながら家庭との連絡を密にして進めていく．

◎ 保護者支援

▶家庭では，さまざまな食生活上の不安や悩みがある．食べない，食べすぎる，食事量が増えない，咀嚼が上手にできない，便の状態が気になるなど，食事に関する不安を軽減するためには具体的な支援が必要である．
……連絡帳などを利用して詳細に連絡し合う．
……サンプル展示，試食，調理講習会などを行い，保護者が自信をもって離乳食を作ることができるように支援する．
……不安の度合いにより，日ごろの食習慣を聞き，個人的な相談も行う．個人情報の保護に努める．
……12 〜 18 か月ごろは，手づかみ食べに対する支援も考えていく．

◎ 離乳期の食の問題と対応

▶月齢ごとの共通する悩みに対応する．個人差が大きいことを理解し，保護者の悩みを軽減するようなアドバイスのしかたを身につける．

▶5 〜 6 か月ごろ：離乳食を食べない場合には，母乳や育児用ミルクの間隔が3時間ほど空いているか，スプーンを口の奥まで入れていないか，抱き方やいすの座り心地はどうか，与える大人が緊張していないかなどを確認する．初めはおかゆをなめらかにすり潰したものを与える．おかゆを食べない場合は野菜やいもを試してみる．母乳や育児用ミルクを先に少量飲ませて落ち着かせると食べることもある．

▶7 〜 8 か月ごろ：与え方が速すぎるなどの理由で，食物を丸飲みしてしまうことがある．なめらかな物のほかに潰したり細かくみじん切りにしたものを用意してみる．おじやのような1品のみよりも2，3品を用意する．豆腐，納豆，鶏肉，魚，卵（初めは卵黄から），乳製品，うどん，パン，野菜，いも，果物などから品数を増やす．

♂手づかみ食べの
　汚れ対策

エプロンをつける，テーブルの下にシートなどを敷く，手ふき・台ふきなどを用意しておく．

▶9 〜 11 か月ごろ：かじりとりができるものがない，手で触れるものが用意されていない，といった理由で離乳食を食べすぎてしまうことがある．噛み応えのある食材を増やす，一汁二菜の組み合わせにする，食材の切り方を工夫する，一緒に食卓で楽しめるようにする，手づかみメニューを増やす，といった対策をとる．また，遊び食べやムラ食いは，成長過程のうちの一つなので，残さず食べさせるなどの強制はしない，こぼしてもいいような対策をとる．

▶12 〜 18 か月ごろ：味の濃いものを欲しがる場合には，塩蔵品や加工品は食卓に置かない，大人の食事から取り分けできるように味つけは薄味にする，味にメリハリをつける，といった対策をとる．また，間食は水分補給や食事の栄

養補給に必要である．食事に影響しない時間(10時，15時ごろ)と量にする．
電車や車などの移動中や，泣いたときにすぐに与える悪習慣はつくらない．

◉ 献立・調理のポイント

▶ 消化機能が未熟なため，食材選びには気をつける．避けたほうがよい食材を
次に示す．
……練り物，漬物などの加工品，消化に悪いもの．
……大人用のインスタント食品，菓子など油脂・調味料・食品添加物を多く
含むもの．
……生卵，刺身などの生もの．
……緑茶，ウーロン茶などカフェインを含むもの．

▶ 食物アレルギー，食中毒に気をつける．次の食材は特に注意が必要となる．
……卵・乳・小麦はアレルギーを起こしやすいので，初めて食べさせるとき
は食後よく観察する．
……はちみつは乳児ボツリヌス症を起こしやすいので1歳までは与えない．
過去には死亡例も報告されており，十分な注意が必要である．
……牛乳は調味料の一つとして使用できるが，そのまま飲ませるのは乳児で
は腎臓への負担が大きいので1歳すぎてからにする．

♂乳児ボツリヌス症
→ p.122，144

▶ 大人の食事から取り分ける場合[*4]は，月齢ごとで考える．
……5～6か月ごろは，刻んだ材料から取り分ける．
……7～8か月ごろは，味をつける前に取り分ける．
……9～18か月ごろは，薄味にした献立から取り分ける．

*4
煮物，味噌汁，鍋物，
ポトフなどの煮込み
料理，和え物などは
取り分けがしやすい．

▶ ホームフリージングを活用する．下処理したものを小分けして冷凍保存して
おくと短時間で作ることができ，バリエーションが増える．ただし，1回分
ずつ使いきるなど衛生面と保存期間には気をつける．

▶ 市販のベビーフードは粉末，フリーズドライ，レトルト，ビン詰めなどがあ
り，もう1品補うには便利である．また，とろみや食材の硬さも離乳食を作る
際の参考になる．外出・旅行先などに持ち歩くのに衛生的という利点もある．

知っておこう！
Notice!

水分摂取の方法について

7～8か月ごろには，スプーンから飲むことができる．唇を閉じて，上唇に触れてすする動きがみら
れたら，スプーンを傾けながら少量ずつ与える．
9～11か月ごろには，コップからの連続飲みができる．自分でコップを持って飲むことは不安定なの
で，一緒に支えて補助する．
大人の都合で，哺乳びんやこぼれないタイプのカップから水分摂取をさせていると，ダラダラ飲みにな
りやすいので注意が必要である．水分飲みの練習は子どもの発達に合わせる必要がある．

第3章 子どもの発育・発達と栄養・食生活

section 6 幼児期栄養

幼児期の成長と発達

● 身体の成長
- 乳児期より発育速度はゆるやかになるが，4歳で体重は出生時の約5倍（約15kg），身長は約2倍（約100cm）となる．乳児期に比べてスリムな体型となる．
- 運動機能の発達に伴い，走る，跳ぶなど活発な行動で運動量が増えるため，エネルギーをはじめ栄養素の摂取量を十分に満たす必要がある．体重1kg当たりのエネルギー，たんぱく質，鉄，カルシウムなどの摂取量は，成人に比べて2～3倍も必要とする．

● 消化吸収機能
- たんぱく質分解酵素は1歳ごろに成人並みになる．炭水化物を消化吸収する十二指腸内アミラーゼ濃度は3歳ごろ，脂質を分解吸収する膵リパーゼ活性も3歳ごろには成人並みに上昇して，腸管の免疫機能が成熟してくる．
- 乳歯は，3歳ごろまでに上下10本ずつとなる．乳臼歯（奥歯）で食物を噛み砕くことはできるが，口の容量が小さく，顎の発達も未熟なために2歳ごろではまだ十分に噛むことはできない．咀嚼する力が備わるのは3歳すぎである．
- 細菌に対する抵抗力は大人に比べて未熟なため，食中毒などには十分配慮する．

● 摂食行動（❶）
- 自分で食べたがるようになる．
- 手づかみから食具（スプーン，フォーク，箸）の扱いを覚えていく．
- 自分自身の口に合った1口量を学習し，咀嚼への動きにつなげていく．
- 指，手首，腕の機能の発達に伴い，箸の手のひら握り，指握り，鉛筆持ちへと変化する．

🎵 **食中毒**
→ p.118

🎵 **食具の上達**
スプーン，フォークは，4歳以降に顔を食器に近づけずによい姿勢で食べられるようになる．
箸は，4,5歳過ぎから上達する．4歳前後は箸が交差しやすいが，5～6歳ごろに成人並みに近づく．

❶ 幼児期と幼児食

区分	離乳食		幼児食		
食の要点	9～11か月	1～1歳半	1歳ごろ	2歳ごろ	3～6歳
発達	はいはい		2本足歩行・手指を使う		自我の発達
生歯			前歯，第1乳臼歯	乳歯が生えそろう，第2乳臼歯	安定した時期
口腔機能発達段階			咬断期・1口量学習期	乳臼歯咀嚼学習期	咀嚼機能成熟期
食具使用機能発達段階			食具使用学習開始期	食具使用学習期	食具使用成熟期
食べ方　手づかみ	遊び食べ，こぼす				
食べ方　スプーン					すくう，口などで食べる
食べ方　フォーク					
食べ方　箸					
食生活	乳汁以外の食事		食への意欲・興味	食を楽しむ 味わう 比較する	残す，分ける ためておく，ゆずる 食事のマナー 社会食べ*1
集団保育	保育者と1対1の介助・援助		一人ひとりの意欲中心に食事に取り組む	友達とともに楽しく食べる	健康教育，調理保育などを取り入れ食生活を豊かに

（乳幼児食生活研究会. 幼児の食生活−その基本と実際. 東京：日本小児医事出版社；2010, p.86.）

❷ 食行動の発達の目安

0	1歳	2歳	3歳	4歳	5歳

☆おやつを残しておいて後で食べることができる
☆好き嫌いを言う
☆いつもと違う乳首を嫌う　　　　　　　☆「ママもおいしい?」と聞いてくる
☆あめをいつまでもなめていることができる
☆ガムをのみこまないでかみ続けることができる
☆「おいしいね」と言う
☆味わうようになる
☆味を感じるようになる
☆空腹感，満腹感を感じるようになる
☆手でつかんで食べる
☆食べものを独占する　　　☆所有欲が強くなる　　　　　　　　　☆食べものを分けてやることができる
☆食べものと母親の愛情が結びつく
☆乳房が母親のものであることがわかる　　　　　　　　　　　　　☆食べものを分け合うことができる
☆手に握ったものを放さない
☆仲間と食べものの情報交換ができる
☆親と同じものが食べたくなる　☆仲間と同じものが食べたくなる
☆食べものを母親に渡す
☆人と一緒にいて食事を楽しむことができる　　☆食事の場を仲間と一緒に楽しむことができる
☆食べながら人に関心を示すことができる
☆食べながら人に関心を示すことができない

（乳幼児食生活研究会. 幼児の食生活−その基本と実際. 東京：日本小児医事出版社；2010, p.36.）

◎ 精神発達

- ▶言語，知能，情緒，社会性などあらゆる領域において発達する.
- ▶1，2歳の感情は，怒り，不安，甘え，不満など態度には個人差があり，食事場面においても表れる（❷）.
- ▶3歳以降は社会性が育つとともに，言葉がわかるようになる. 我慢すること

*1
社会食べとは，集団の決まりごとを守る，集団への適応力が育つ. 身近な社会環境と食をつなげて考えながら食べることである.

第3章　子どもの発育・発達と栄養・食生活

もできるようになり，しつけをするのもこの時期からが適している．集団で行う食育も効果を発揮する．

▶ 味の記憶がなされ，好き嫌いなどの自己主張がはっきりしてくる．

幼児期の食生活のあり方

◉ 食生活の実態とその問題点（2015 年度乳幼児栄養調査から）

考えてみよう

簡単に栄養のとれる朝食の献立を考えてみよう．

▶ **朝食をあまり食べない**：朝食を必ず食べる子どもの割合は，保護者が朝食を「ほとんど食べない」場合は78.9％，「まったく食べない」場合は79.5％と，保護者が「必ず食べる」場合95.4％に比較して低くなっている．また，子ども一人で朝食を必ず食べる割合は76.2％であった．保護者は子どもと一緒に食べて，正しい朝食習慣を身に付けることが大切である．

▶ **家族が揃わない食卓**：昼食を含めると母子だけの食事回数が多い．1～2歳児の食事は，立ち歩き，遊び食べ，好き嫌いなどの食行動が激しくなるので，母親にとって楽しい食事の雰囲気にはなりにくい．また，父親不在の食事は，献立数が少なく，子どもの好きなものに偏りがちで，偏食を助長することもある．楽しい食卓の経験は欠かせないので，できるだけ家族が揃う食事を心がける．

▶ **だらだら食い**：「時間を決めて間食をあげることが多い」のは56.3％で，甘い飲み物やお菓子を1日にとる回数は，2～3歳未満が最も多く，2回以上が41.9％であった．子どもの欲しがるまま与えてしまうと食事内容に影響し，栄養状態が悪くなる．また，性格形成にも影響を及ぼし，わがままが多い子になってしまうこともある．電車や車での移動中や車内で間食を与えることが多いと小食，偏食になりやすい．

▶ **誤嚥・窒息などの事故**：食物の窒息は，のど（咽頭，喉頭，気道）に食物が詰まり，呼吸ができない状態である．事故は乳幼児期全体でみられ，特に0～1歳代に多い．

　……**注意すべき食物**：ピーナッツ[*1]などの豆類，リンゴ，チーズ，餅，こんにゃくゼリー，ぶどう，飴玉（丸いもの），ミニトマトなど．

*1
ピーナッツが何かの拍子に気管支にはまり込み，徐々に変性して脂肪酸などを出すと，その刺激により肺炎を起こして（ピーナッツ肺炎），呼吸困難になる．

　……**事故防止の方法**：ピーナッツを1粒丸ごと与えないなど，固まりを丸ごと食べさせない．歩きながら，遊びながら食べさせない．乗り物の中で食べさせない．食事中は大人がそばを離れないようにする．

◉ 間食の役割と適量

▶ 幼児は体が小さい割にたくさんのエネルギーや栄養素を必要とするが，3回の食事だけでは不足しやすい．間食の意義には次のようなものがある．

　……**栄養不足を補う**：食事でとりきれない栄養素を補う．穀類，果物，いも類，乳製品などバランスを整える．

……**精神発達を促す**：食事とは違う楽しみ，気分転換から心が満たされる．
　　……**教育のしやすさ**：マナー，食習慣など無理なく身に付けることができる．
　　……**間食の回数・適量**：1～2歳児は，午前と午後の2回に分け，エネルギー量の10～15％（90～150kcal），3～5歳児は，1日1回エネルギー量の15～20％（190～260kcal）となる．

幼児期の食の問題と対応

- 母親が「子どもの食事で困っていること」（p.5 ❻参照）への対応を示す．

◉ **遊び食い**

　▶ 手づかみ食べが始まると，食べ物を握る，落とす，投げるなどが頻繁になる．1，2歳代が多く，3歳代で減少傾向にある．子どもにとっては自分で食物を確認して学習している大切な行動である．子どもの気持ちをくみ取りながら，けじめのある食生活を心掛けさせるといった対応をする．

　　……食事時間には，空腹であること．
　　……生活リズムを整えて，だらだら食いにならないようにする．
　　……テレビなどは消して，おもちゃなどは片づける．
　　……遊び始めても，食べ物に集中できるような言葉かけをし，それでも遊ぶようなら「ごちそうさま」をして，無理に食べさせることはせずに，さりげなく片づける．

◉ **食べるのに時間がかかる**

　▶ 2歳以上になると，食卓での会話が弾みながらも食べることができるようになるので，集中するように促しながら付き合う．
　▶「遊び食い」以外の対応としては，食事の固さや量が適しているか確認する，次の行動を促すなど社会性を身に付けさせるといったことも大切となる．

◉ **好き嫌い（偏食）**

　▶ 味覚の発達との関係．
　　……幼児の偏食は固定しないので，いろいろな方法を試して，体験させ，受け入れられるように環境を整えていく．
　　……酸味，苦味の食物は好まない．酸味，苦味を感じる食物としては，酢の物，ミカン，トマト，ピーマン，たけのこなどがある．調理方法によって苦手な味をやわらげたり，周りの人がおいしそうに食べてみせたり，何度も食卓に出すことで慣らしていく．
　▶ 食物の噛みにくさ．
　　……1，2歳の咀嚼は発達過程であるので，食物繊維の多い野菜や肉は，煮る，切る，とろみをつけるなど，調理を工夫する．噛みにくいからと必

> **考えてみよう**
>
> 食事中に「カミカミしなさい」，「頑張って食べなさい」といった言葉をかけられた子どもは，食事を楽しめるだろうか．楽しく食べられる言葉かけを考えてみよう．

第3章　子どもの発育・発達と栄養・食生活

❸ 食べにくい特徴とその代表的な食品

特徴	食品
ぺらぺらしたもの	レタス, わかめ
皮が口に残るもの	豆, トマト
硬すぎるもの	かたまり肉, エビ, イカ
弾力のあるもの	こんにゃく, かまぼこ, きのこ
口の中でまとまらないもの	ブロッコリー, ひき肉
唾液を吸うもの	パン, ゆでたまご, さつまいも

　　　要以上にすりつぶしたり，野菜を食べないからとジュースにはせず，根気よく発達に合う軟らかさにして食べさせる.
▶食事での楽しい経験をさせる.
　　……野菜を洗うなどの簡単な手伝いや配膳をさせる，または外食など食事環境を楽しい雰囲気に変えてみる. 家族の食べている様子をみせ，「おいしいよ」と声をかけるなど，食事での楽しい経験をさせる工夫も必要である.

◉ むら食い

▶自己調節が食欲の「むら」という現象に表れやすい. 2～3日単位でよく食べる日と，あまり食べない日があっても，機嫌もよく元気であれば気にしなくてよい.
▶気分のむらを立て直すことは子ども自身の力ではできないので，大人が気分転換をさせる. 食欲のないときは強制しない.

◉ よく噛まない

▶前歯が生えそろったら，スティック状のゆで野菜，パン，果物などを噛みとらせてみて，子どもにとって噛みやすい1口量を覚えさせる.
▶食事中の水分の与え方に気をつける. 口の中の食物をすぐに水分で流し込むようにしない.
▶食べにくい食品はこまかくする，軟らかくするなど調理の工夫をする（❸）.
▶急がせたり，食べこぼしを注意しすぎない.

年齢別のポイント

♪**手づかみ食べの役割**

目と手と口を協調させる，一口量を自分で学習する，食具を使うためのステップとして大切である. 食べる意欲を引き出すためには，多少の介助をするが過剰にし過ぎないことも大切である.

◉ 1歳児

▶前歯と第1乳臼歯が生える時期であり，前歯を使って噛み切ることはできても奥歯が生えそろわないため，硬いものや弾力のあるものをすり潰すことはまだ難しい.
▶手づかみしやすい形は前歯でかじりとることができるので，咀嚼しやすい自分の1口量を知ることができる.
▶**食具や食器選び**：手づかみが中心のときは，適した献立（❹）を作り，皿に盛り分ける. スプーンやフォークを使いたがる様子がみられたら，柄の長さが

❹ 手づかみしやすい献立の例

- ゆで野菜のスティック（にんじん，大根，グリーンアスパラガス，さやいんげん，じゃがいもなど）
- ゆで野菜の輪切り（レンコン，サツマイモ，長芋など）
- スティック状に握ったおにぎり
- フレンチトースト
- お好み焼き
- 果物（イチゴ 1/2 切れ，薄切りリンゴ，バナナ，キウイフルーツ）
- 卵焼き
- 魚のムニエル
- かき揚げ

短く子どもが握りやすい太さのもの，スプーンボウルは口角の 2/3 程度の大きさのもの，フォークは鋭くなく，突き刺しやすいものを用意する．食器はお椀のように立ち上がりがあるとスプーンですくいやすい．

▶ **調理のポイント**：歯ぐきでもつぶしやすく，前歯を使ってかじりとりができるものを中心にする．食材の硬さに違いがあると咀嚼しづらいため，サンドイッチのレタスや，いなりずしの油揚げとご飯をはがしたりしてもよい．卵料理などでも中に入れる具を同じ軟らかさにするなど，できるだけ全体を同じ硬さにするための工夫をする．

◉ 2 歳児

▶ 乳歯が生えそろうが，噛む力はまだ弱いため，硬すぎるものなどは咀嚼できないものが多い．

▶ スプーン，フォークを使って食べやすい献立にする．スプーンはポタージュスープ，シチュー，あんかけ，グラタン，ポテトサラダのようにすくいやすくてボウル部分にのせやすいもの．フォークは，フライ，麺類，ミートボール，果物，ホットケーキなど，刺しやすいものが適している．

▶ **食具や食器選び**：手と口の協調運動が未熟なので食具が使えてもこぼすことも多い．すくう加減も未熟なので，お椀のように立ち上がりがあるとすくいやすくなる．

▶ **調理のポイント**：卵料理はカニ玉あんかけのように，少し硬いタケノコやキクラゲが入っていても上手に咀嚼できるようになる．煮魚，親子煮など水分量が多く少し軟らかいものなら食べられるようになる．

◉ 3 歳児以上

▶ 奥歯で噛むことが上手になり，大人とほぼ同じものが食べられるようになる．手先も器用になり，箸が使えるようになるので箸で挟みやすいものを用意する*2．

▶ 焼き魚や干物，かまぼこなどの加工品，ホタテやエビなどの少し弾力があるものも食べられるようになる．

▶ **調理のポイント**：栄養バランスを考えて品数をそろえる．彩りや食感を工夫してワンパターンにならないようにする．

考えてみよう

親指，人差し指，中指の 3 本が器用になることで箸使いが上達する．指先の発達を促す遊びを考えてみよう．

*2
焼きそば，コーンサラダ，野菜のソテー，サイコロステーキ，五目豆，いんげん豆甘煮，餃子など．

第3章 | 子どもの発育・発達と栄養・食生活

section 7　学童・思春期の栄養

学童・思春期の成長と発達

- 学童期とは，小学校に在学する1年生から6年生までの児童の時期をいう．思春期とは，第二次性徴の始まりから生殖機能が成熟するまでをいう．
- 学童期後半から中学生にかけて，身長，体重ともに著しい発育量を示すようになり，胎児期から乳児期にかけての「第一発育急進期」に対して，この時期を「第二発育急進期」という．
    ▶ 第二発育急進期は男女間で差があり，男子に比べて女子のほうが早く出現し，男子は女子より2〜3年遅れて発育速度が著しくなる(❶)．
- 身長，体重の年齢別の平均値を❷に示した．身長が最も伸びる時期は，男子の場合11〜12歳で，女子の場合は9〜10歳である．その結果，10, 11歳では女子が男子より平均身長が高い．
- 歯の発育の特徴は，永久歯への生えかわりである．乳歯の脱落が7歳前後で始まり，12歳前後に完了する．
- 学童期の精神面の特徴は記憶力，理解力，創造力に富んでいることで，自己中心性が消え，友人との協調性も身につき，自己抑制力もついてくる．思春期になると，心理的な独立を求め，自我に目覚めて親離れの時期になり，第二次反抗期を迎える．

❶ 身長の発育曲線模式図

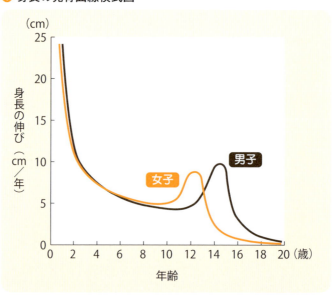

❷ 年齢別身長・体重の平均値

区　分		身長(cm)		体重(kg)	
		男	女	男	女
小学校	6歳	117.5	116.7	22.0	21.5
	7歳	123.5	122.6	24.9	24.3
	8歳	129.1	128.5	28.4	27.4
	9歳	134.5	134.8	32.0	31.1
	10歳	140.1	141.5	35.9	35.4
	11歳	146.6	148.0	40.4	40.3
中学校	12歳	154.3	152.6	45.8	44.5
	13歳	161.4	155.2	50.9	47.9
	14歳	166.1	156.7	55.2	50.2
高校	15歳	168.8	157.3	58.9	51.2
	16歳	170.2	157.7	60.9	51.9
	17歳	170.7	157.9	62.6	52.3

(文部科学省. 学校保健統計調査. 2020［令和2］年度より抜粋.)

話し合ってみよう

いわゆるジャンクフードや炭酸飲料などがなぜ身体に悪いのか，どのように子どもに理解してもらったらよいか，皆でアイデアをだしてみよう.

♪ジャンクフード (junk food)

ビタミンやミネラル，繊維など重要な栄養素があまり含まれず，栄養価のバランスを欠いた調理済み・加工食品のこと. 高カロリー，高脂肪，高塩分だったりすることが多い. ジャンクとは「がらくた」のこと.

学童・思春期の食生活

- 2019（令和元）年国民健康・栄養調査の食品群別摂取量では，男女ともに乳類が，女子では野菜類，果実類においても15～19歳よりも7～14歳のほうが多い. これらは学校給食の影響が大きいと思われる.
- 栄養素等摂取量では，食品摂取状況を反映して，男女ともにカルシウムは15～19歳よりも7～14歳のほうが多い. これも学校給食の影響が大きい.
  - ▶ 平均摂取量においてはカルシウムなど，いくつかの栄養素を除いてほぼ満足な状況にあるが，個別にはばらつきがあることは明らかで，数値の解釈には留意が必要である.
- 『健康づくりのための食生活指針－対象特性別』では，学童期は食習慣の完成期，思春期は食習慣の自立期と位置づけており，発育・発達に応じて育てたい「食べる力」も示されている（❸）.
- 「子どもの食生活」について重点的に調査した2005（平成17）年国民健康・栄養調査によると，保護者の約60％は小中学生の食生活について改善したいと回答しており，改善したい項目の上位は「食品選択や食事のバランスをとる知識や技術を身につける」「副菜（野菜）を十分とる」「菓子や甘い飲み物をほどほどにする」であった.
- 学童期，思春期の特性に応じて，食事づくりへの参加やコンビニエンスストア，ファストフードの利用方法などへの指導など，環境設定も重要である.

第3章　子どもの発育・発達と栄養・食生活

❸ 発育・発達に応じて育てたい「食べる力」

授乳期・離乳期　〜安心と安らぎのなかで食べる意欲の基礎づくり〜
● 安心と安らぎの中で母乳 (ミルク) を飲む心地よさを味わう
● いろいろな食べ物を見て，触って，味わって，自分で進んで食べようとする

幼児期　〜食べる意欲を大切に，食の体験を広げよう〜
● おなかのすくリズムがもてる
● 食べたいもの，好きなものが増える
● 家族や仲間と一緒に食べる楽しさを味わう
● 栽培，収穫，調理を通して，食べ物に触れはじめる
● 食べ物や身体のことを話題にする

学童期　〜食の体験を深め，食の世界を広げよう〜
● 1日3回の食事や間食のリズムがもてる
● 食事のバランスや適量がわかる
● 家族や仲間と一緒に食事づくりや準備を楽しむ
● 自然と食べ物とのかかわり，地域と食べ物とのかかわりに関心をもつ
● 自分の食生活を振り返り，評価し，改善できる

思春期　〜自分らしい食生活を実現し，健やかな食文化の担い手になろう〜
● 食べたい食事のイメージを描き，それを実現できる
● 一緒に食べる人を気遣い，楽しく食べることができる
● 食料の生産・流通から食卓までのプロセスがわかる
● 自分の身体の成長や体調の変化を知り，自分の身体を大切にできる
● 食にかかわる活動を計画したり，積極的に参加したりすることができる

(厚生労働省.「食を通じた子どもの健全育成のあり方に関する検討会」報告書. 2004.)

学童・思春期の食の問題と対応

◉ 生活リズムの乱れ

▶ 大人の夜型の生活が影響して，子どもにおいても就寝時刻が遅くなり，生活リズムを崩す原因となる．早寝・早起きを心がけ，生活リズムを整えて，朝昼晩の3食と間食などを規則正しくとることが望ましい．

♪ 朝食欠食の弊害

→ p.10

◉ 朝食欠食

▶ 学童期・思春期は成長期であるため，欠食が問題であることは明らかである．朝食欠食の理由は「食欲がわかない」「食べる時間がない」が上位を占めている．

▶ 朝食欠食の弊害は，やる気や集中力の欠如，疲れやすい，体温が上がりにくいなどがあり，学業や体力にも悪影響が出るとされている．生活リズムを見直すことが大切で，保護者も交えて，朝食の重要性の教育が必要である．

◉ 間食・夜食

▶ 成長期はエネルギーの必要量など大人に比べて要求量が高い．3食規則正しく適正量をとる必要があるが，間食で補うことを考えてもよい．夜食は夜遅

学童・思春期の栄養

❹ 小児期のメタボリックシンドロームの診断基準（6 ～ 15 歳）

① 腹囲	● 80cm 以上 ・腹囲 / 身長が 0.5 以上であれば 80cm 以上 ・小学生では 75cm 以上
② 血清脂質	● 中性脂肪：120mg/dL 以上 かつ / または 　HDL-コレステロール　40mg/dL 未満
③ 血圧	● 収縮期血圧：125mmHg 以上 かつ / または 　拡張期血圧：70mmHg 以上
④ 空腹時血糖	● 100mg/dL 以上

① があり，②～④のうち 2 項目を有する場合にメタボリックシンドロームとする．
（大関武彦ほか. 小児のメタボリックシンドローム診断基準の各項目についての検討. 厚生労働科学研究費補助金 循環器疾患等生活習慣病対策総合研究事業 平成 19 年度報告書.）

くまで起きていると，とる頻度が高くなる．夜遅くに食べると，肥満の原因になる．
▶ 間食の食べすぎで夕食が十分にとれなかったり，夜食によって朝食時の食欲不振や欠食につながることもある．

◎ 肥満
▶ 近年，生活リズムの乱れや食べすぎ，身体活動量の低下により，肥満の出現頻度が高くなってきている．肥満は生活習慣病の危険因子になることが子どもにおいても憂慮されており，対策が必要である．
▶ 小児期のメタボリックシンドロームの診断基準が厚生労働省から発表されている（❹）．

調べてみよう

成人のメタボリックシンドロームの診断基準は？

◎ ダイエット（やせ志向）
▶ 思春期は容姿を気にして痩身を望む傾向にある．男子よりも女子に，学童期よりも思春期にやせ願望が強いことがわかる（❺）．
▶ やせ願望が強すぎると，誤ったダイエット法による健康障害や，摂食障害[*1]（神経性食欲不振症，神経性過食症）を引き起こしてしまうことがある．

◎ 貧血
▶ 思春期は鉄欠乏性貧血が多い時期である．急激な身体的発育に伴い，血液量が増加するので，鉄分の需要も増大する．特に女子は月経による失血やダイエットによる食事制限などで貧血を起こしやすい．
▶ 貧血では疲れやすく，立ちくらみやめまい，さらに運動時には動悸がしたり，集中力が低下したりと，さまざまな症状を起こす．予防や改善は重要である．

やせ
→ p.150

*1
拒食症（過度の食事制限）と過食症（過度な量の食事摂取）があり，いずれも精神的要因で起こる．女子に多く，無月経になることがある．

鉄欠乏性貧血
→ p.139

第3章 子どもの発育・発達と栄養・食生活

❺ 自分の体型のイメージ

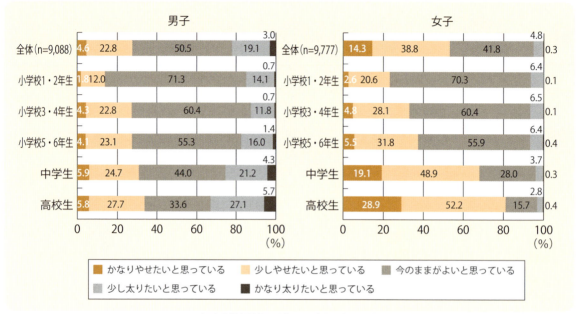

(日本学校保健会．平成30〜令和元年度児童生徒の健康状態サーベイランス事業報告書．2020.)

❻ 学童期・思春期の献立作成上の留意点

① エネルギーは必要量を十分に摂取すること．
② たんぱく質，特に良質の動物性たんぱく質を不足させない．
③ ミネラル，特にカルシウム，鉄を十分にとること．
④ ビタミン類は十分にとる．

献立・調理のポイント

> **調べてみよう**
>
> 日本で食べられる食料の多くは海外で作られて輸入されている．具体的にどんな食べ物がどんな国で作られているのだろうか．またそれらの安全性はどのように守られているのだろうか．

- 学童期は食習慣も確立し，1日3食とることが基本となる．間食も適宜利用して，栄養のバランスがとれるとよい．
- 思春期は学童期に比べ理解力，思考力，判断力もついてくることから，自己管理も含めて，自ら食事内容を選択できるようにしていくことが望まれる．
- 学童期・思春期の献立立案上の栄養学的な配慮点を❻に示した．
- 栄養学的な配慮をしたうえで，効率のよい献立作成の手順を❼に示した．主食，主菜，副菜をそろえた食事はバランスがとれる．
- 多様な食品の利用は栄養の偏りを防ぎ，調理法や味つけの変化は食体験を豊かにすることにつながる．旬の食材は，季節(その時期)の独特の風味があると同時に，栄養価が高く，経済的にも優れている．献立内容は味を楽しむだけでなく，彩りをよくし，季節感，食文化などを盛り込み，食事を通した心の成長を目指すことも大切である．
- 食事づくりは下準備，調理，後片づけから成り立つ．学童期はそれぞれの段階で

❼ 献立作成手順

① 目標量の確認	● 対象の食事摂取基準，給食基準などを確認する．
② 主食を決める	● エネルギー源となる穀類（米，パン，麺類など）を選ぶ．
③ 主菜を決める	● たんぱく質源となる食品を選ぶ（魚，肉，卵などの動物性食品と大豆，大豆製品などの植物性食品）．
④ 主菜の料理様式・調理法を決める	● 料理様式（和風，洋風，中華風など）を決め，調理方法（焼く，煮る，炒める，揚げる，茹でるなど）を決める．
⑤ 副菜を決める	● 主菜の補助になる野菜類，海藻類，いも類などの食材を使った料理を決める．
⑥ 汁物，スープを決める	● 主菜，副菜にあわせて，利用していない食材を用いた味噌汁，吸い物，スープを組み合わせる．
⑦ その他デザートなど	● バランスに応じて，フルーツやデザートを加える．

❽ スポーツのための効果的な食事の留意点

① 主食，主菜，副菜に果物，乳製品をそろえる	● バランスのとれた食事が重要となる．
② たんぱく質，カルシウムをとる	● 成長期にはたんぱく質，カルシウムが重要となる．
③ 水分を補給する	● 炭酸飲料や糖分が多いものに注意する． ● スポーツドリンクも糖分があり，飲みすぎに注意する．
④ 夕食をしっかりととる	● 放課後の活動後の夕食がおろそかにならないようにする．
⑤ 鉄分をしっかりととる	● 鉄分の不足はスポーツ時にスタミナ不足になる． ● 鉄分の多い食品を心がけてとる．
⑥ 筋肉疲労にはたんぱく質やビタミンをとる	● 激しい運動の後はたんぱく質，ビタミンの豊富な食事にする． ● 消化吸収のよい汁気の多いものもよい．

手伝いから，思春期は食事計画が自ら考えられるような場面をつくるとよい．

  ▶ 下準備では食品の計量，洗う，切る，調理では加熱操作，その他電子レンジなどの機器の使用，後片づけは下膳，食器洗いなど，さまざまな作業があるので，子どもたちが積極的に参加できるように工夫する．

  ▶ 衛生的な配慮も必要となる．

- 弁当を作る場合は，栄養面のバランスはもちろん，衛生面（腐りにくい食品選び，汁気の少ないもの），食べやすいサイズ，彩りなどを考慮する．朝食同様，調理時間があまりかからないようにする工夫も必要である．

- 学童期・思春期は体づくりの時期であることや，社会性を身につける意味もあり，部活動などスポーツ活動は活発に行われている．スポーツの種類やトレーニングの方法により適切な栄養補給の知識が必要で，水分のとり方，疲労回復のための栄養補給，貧血予防など，献立に反映できるようにしたい（❽）．

考えてみよう

子どもが苦手な食べ物を，自然に食べてもらうアイデア料理のメニューを考えて発表してみよう．

にんじん→

魚→

ピーマン→

第3章　子どもの発育・発達と栄養・食生活

日本の年間行事食

　一年を通してさまざまな行事があり，その際には，健康や幸せを祈る特別な食品が食べられる．四季折々の食材が取り入れられた行事食にはどのようなものがあるだろう．調べてみよう．

第4章

食育の基本と実践

第4章 食育の基本と実践

section 1　食育基本法の概要

食育基本法
→ p.159

- 食は，人間が生きていくうえでの基本的な営みであり，健全な生活には健全な食生活が欠かせない．特に，子どもが健やかに成長・発達し，豊かな人間性を育むためには，将来に向けた健康的な食習慣の形成が重要であり，子どもの毎日の生活の場は，そうした豊かな人間性，生きる力，基本的生活習慣を育む場であり，生活の質を高める場でもある．
- 近年は，ライフスタイルの変化，特に保護者の夜型生活によって，子どもの生活リズムも乱れ，食事リズムが不規則になることにより，朝食の欠食や孤食が増えている．また，アンバランスな食事内容による栄養素摂取の偏りなど，食生活を取り巻く状況は大きく変化している．これらは子どもの心身の発達に少なからず影響を与えているとの指摘がある[*1]．
- 子どもは自分自身で食物を選択することはできず，準備された食物のなかから摂取するため，保護者の食生活のあり方に大きく影響される．子どもを取り巻く人々に対して食の重要性を認識させ，その基礎を養うことを目的とした食育を行うことが重要である．
- このような状況をふまえ，2005（平成17）年，食育基本法が制定された．

食育基本法の目的

- 食育基本法の目的は「国民が生涯にわたって健全な心身を培い，豊かな人間性をはぐくむための食育を推進することが緊要な課題となっていることにかんがみ，食育に関し，基本理念を定め，および国，地方公共団体等の責務を明らかにするとともに，食育に関する施策の基本となる事項を定めることにより，食育に関する施策を総合的かつ計画的に推進し，もって現在および将来にわたる健康で文化的な国民の生活と豊かで活力ある社会の実現に寄与すること」となっている．

食育の推進のために

- 食育を強力に推進するために，下記のことが定められている．
- **関係者の責務**
  - ▶食育の推進を国全体で取り組む国民運動にするため，国民一人ひとりが主体的に健康づくりを進める責務を担うとともに，国や地方公共団体，教育関係者，農林漁業関係者，食品関連事業者の責務を定めている．
- **食育白書**
  - ▶政府が毎年，食育の推進に関する施策について国会に提出することになっている．
- **食育推進会議**
  - ▶食育の推進に関する総合的・計画的な促進のため，食育基本計画を作成する．

[*1] 父親の帰宅が遅いなど生活スタイルの時間のズレから，家族そろって食事をする頻度の減少が大きな問題となっている．このことによる親子の会話の機会の減少，仲間遊びができない生活環境など，いたるところに人間相互のかかわりの不足がみられる．

新年を祝うおせち料理

　おせちは漢字で書くと「御節」，これは暦の節句を示した言葉であり，そのとき食べられる祝いの料理がおせち料理とよばれていた．節句にはほかにも桃の節句などがあるが，正月は特に重要な節句であることから，後に正月料理のことをおせち料理とよぶようになったとされる．1年の食の始まりにはさまざまな願いが込められているので，その由来も知っておこう．

縁起物が詰まった重箱

　めでたいことを重ねるという意味から，おせち料理は重箱に詰められる．現代で一般的なのは三段重や二段重で，それぞれの重箱に詰められる献立はそれぞれ決まりがあり，新たな年の幸せを願う縁起物がそろう．いずれも日持ちする献立となっているが，正月三が日は炊事をする女性を休ませる，また正月には台所を騒がせず，静かに年神様を迎えるため，といった理由があるといわれている．海の幸や山の幸を用いた伝統的な和食は，華やかさだけではなく栄養面も優れている．

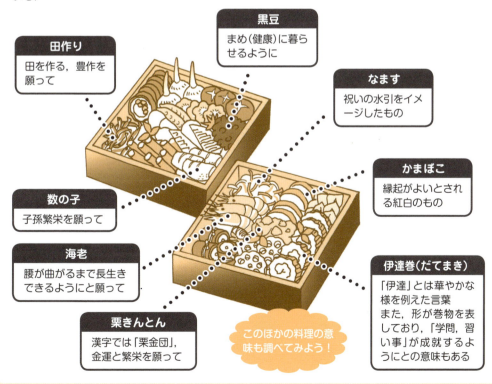

田作り：田を作る，豊作を願って

黒豆：まめ（健康）に暮らせるように

なます：祝いの水引をイメージしたもの

数の子：子孫繁栄を願って

かまぼこ：縁起がよいとされる紅白のもの

海老：腰が曲がるまで長生きできるようにと願って

伊達巻（だてまき）：「伊達」とは華やかな様を例えた言葉　また，形が巻物を表しており，「学問，習い事」が成就するようにとの意味もある

栗きんとん：漢字では「栗金団」，金運と繁栄を願って

このほかの料理の意味も調べてみよう！

食育基本法に基づく第4次食育推進基本計画の概要

*1
SDGs（エスディージーズ．sustainable development goalsの略語）日本語訳は「持続可能な開発目標」

- 食育推進基本計画は，食育基本法に基づき，食育の推進に関する基本的な方針や目標について定めている．
- 令和3年度から令和7年度までのおおむね5年間を期間とする今回の計画では，3つの重点事項（p91，図中）を掲げ，国民の健全な食生活の実現と，環境や食文化を意識した持続可能な社会の実現のために，SDGs[*1]の考え方を踏まえながら，多様な関係者が相互の理解を深め，連携・協働し，国民運動として食育を推進することとしている．

3つの重点事項

重点事項①：生涯を通じた心身の健康を支える食育の推進

- 子どもの頃から食への意識が生涯の健康につながることから，普段から栄養バランスの整った食事をとり，適正体重を維持するように心がけることが重要である．
- 箸使いに気をつける，ゆっくりよく噛んで食べる，朝ごはんを食べるといった毎日の積み重ねが正しい食習慣を身につけることになり，ひいては生涯にわたる健全な食生活を送る基礎となる．

重点事項②：持続可能な食を支える食育の推進

- 食育は，食べ方や栄養に関することだけではない．私たちが日頃食べている食品は，多くの人々のさまざまな活動に支えられており，生産から流通，消費等に至るまでの食の循環に関心を寄せることが大切である．一方で，ライフスタイルの変化により，日頃の食事を通じて田んぼや畑等に出向いたり，生産者と交流する機会が減っている．このため，栽培活動や収穫体験ができる環境づくりが重要である．また，給食を通じて地産地消を推進する等食の循環を担う主体的なつながりを広げ，深める食育を推進する．
- さらに，日本の伝統的な食文化について子どもたちに伝えていくことは，将来にわたって日本の食文化を継承することになり，重要な意味をもつ．
- 和食は栄養バランスが優れ，長寿国である日本の食事は世界的にも注目されている一方で，和食文化が十分に受け継がれず，その特色が失われつつある現状からみても地域の特色ある和食文化を子どもたちに伝え，体験できる機会を設けることも大切であり，年間の保育計画を立てる際に，食育の視点も取り入れた計画づくりが求められる．

重点事項③：「新たな日常」やデジタル化に対応した食育の推進

- 上記のような食育は，体験的な活動が多く，接触機会も多いため，新型コロナウイルス感染症の感染防止として，「新しい生活様式」への対応が必要となる．デジタル技術を上手に活用し，「新たな日常」のなかで取り組める食育の推進を図る．

調べてみよう

それぞれの国や地方にどんな独自の食文化があるか調べて発表してみよう．

具体的には，オンラインでの講座やインターネットによるイベント開催，動画配信など，非接触型の食育の展開も考えられる．個人がいつでも手軽に使える食育アプリやデジタルツールを通して情報の発信も取り入れると効果的である．

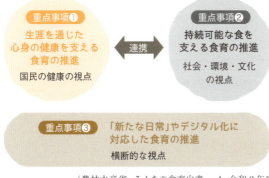

（農林水産省．みんなの食育白書．p.4. 令和2年度）

第4次食育推進基本計画における子どもの食育

- 第4次食育推進計画で示されている7つの項目のうち，子どもの食育につながる具体的内容を示す．
- **家庭における食育の推進**
    ▶ 乳幼児期から基本的な生活習慣の形成を図るために，科学的知見を踏まえながら，「早寝早起き朝ごはん」国民運動，「健やか親子21（第2次）」等により全国的な普及啓発を図る．
- **保育所，幼稚園，学校等における食育の推進**
    ▶ 就学前の子どもに対する食育を推進するため，保育所，幼稚園，認定こども園等で，保護者や地域と連携・協働により取組みを推進する．保護者会や行事の際に，子どもと一緒に参加できる活動を実施する等，親子で取り組める機会があると，家庭の中でそれが話題となり，健やかな心と体を育む機会にもなる．
- **地域における食育の推進**
    ▶ 子ども食堂や通いの場等，地域でのさまざまな共食の場づくりを推進する．保育所や幼稚園等が運営する子ども食堂も増えているなか，そうした場を活用することで共食の機会は増える．日本型食生活，つまりごはん（主食）を中心に，魚，肉，卵，大豆製品を使用した主菜，牛乳・乳製品，野菜，海藻，豆類，果物等を使用した副菜，お茶などの多様な組み合わせにより，栄養バランスに優れた「日本型食生活」の実践を推進する．
    ▶ さらに，貧困等の状況にある子どもに対する食育の推進として，フードバンク等と連携し，支援する．

食育ピクトグラムの7項目
→ p.92

共食
→ p.20

- 生産者と消費者との交流促進，環境と調和の取れた農林水産漁業の活性化等
  ▶ 子どもを中心とした農林漁業体験や地産地消の推進を図る．園内の一角を使った栽培活動も食育の重要な柱となる．また，子どもの頃から食べ物を大切にし，作ってくれた人への感謝を示す「いただきます」，「ごちそうさま」が自然に言えること，そうした習慣が食品ロスを減らす気持ちを醸成する機会にもなる．

第4次食育推進計画における目標値と現状値

- 目標値に近い項目もあるが，達成にはまだまだ程遠い項目も多く，さまざまな場や機会で取り組む必要がある（❶）．

食育ピクトグラム

- 今回の計画では，食育の取組みを子どもから大人まで誰にでもわかりやすく発信するため，取り組みたい内容を絵文字であるピクトグラムに表現し，多くの人が使用していくことを目的として作成された．園内での食育活動や保護者へのお便り等，情報発信する際に自由に使うことができる．

知っておきたい食のお話

　この図はここ最近，日本全国でみられるようになった．「持続可能な開発のための2030アジェンダ」は，国連で定められた2016〜2030年の国際目標のことである．17のゴール，169のターゲットの目標から構成されており，SDGs（エスディージーズ）と呼ばれる．

　これらの目標のなかで，「目標2：飢餓を終わらせ，食料安全保障及び栄養改善を実現し，持続可能な農業を推進する」，「目標4：すべての人々への包摂的かつ公正な質の高い教育を提供し，生涯学習の機会を促進する」，「目標12：持続可能な生産形態を確保する」などの食育と関係が深い目標がある．保育所等においてこうした視点を取り入れた食育活動に取り組むことが期待されている．

❶ 第4次食育推進基本計画における目標値と現状値

目標	具体的な目標値	現状値 （令和2年度）	目標値 （令和7年度）
1 食育に関心を持っている国民を増やす	①食育に関心を持っている国民の割合	83.2%	90%以上
2 朝食又は夕食を家族と一緒に食べる「共食」の回数を増やす	②朝食又は夕食を家族と一緒に食べる「共食」の回数	週9.6回	週11回以上
3 地域等で共食したいと思う人が共食する割合を増やす	③地域等で共食したいと思う人が共食する割合	70.7%	75%以上
4 朝食を欠食する国民を減らす	④朝食を欠食する子供の割合	4.6%※	0%
	⑤朝食を欠食する若い世代の割合	21.5%	15%以下
5 学校給食における地場産物を活用した取組等を増やす	⑥栄養教諭による地場産物に係る食に関する指導の平均取組回数	月9.1回※	月12回以上
	⑦学校給食における地場産物を使用する割合（金額ベース）を現状値（令和元年度）から維持・向上した都道府県の割合	－	90%以上
	⑧学校給食における国産食材を使用する割合（金額ベース）を現状値（令和元年度）から維持・向上した都道府県の割合	－	90%以上
6 栄養バランスに配慮した食生活を実践する国民を増やす	⑨主食・主菜・副菜を組み合わせた食事を1日2回以上ほぼ毎日食べている国民の割合	36.4%	50%以上
	⑩主食・主菜・副菜を組み合わせた食事を1日2回以上ほぼ毎日食べている若い世代の割合	27.4%	40%以上
	⑪1日当たりの食塩摂取量の平均値	10.1g※	8g以下
	⑫1日当たりの野菜摂取量の平均値	280.5g※	350g以上
	⑬1日当たりの果物摂取量100g未満の者の割合	61.6%※	30%以下
7 生活習慣病の予防や改善のために，ふだんから適正体重の維持や減塩等に気をつけた食生活を実践する国民を増やす	⑭生活習慣病の予防や改善のために，ふだんから適正体重の維持や減塩等に気をつけた食生活を実践する国民の割合	64.3%	75%以上
8 ゆっくりよく噛んで食べる国民を増やす	⑮ゆっくりよく噛んで食べる国民の割合	47.3%	55%以上
9 食育の推進に関わるボランティアの数を増やす	⑯食育の推進に関わるボランティア団体等において活動している国民の数	36.2万人※	37万人以上
10 農林漁業体験を経験した国民を増やす	⑰農林漁業体験を経験した国民（世帯）の割合	65.7%	70%以上
11 産地や生産者を意識して農林水産物・食品を選ぶ国民を増やす	⑱産地や生産者を意識して農林水産物・食品を選ぶ国民の割合	73.5%	80%以上
12 環境に配慮した農林水産物・食品を選ぶ国民を増やす	⑲環境に配慮した農林水産物・食品を選ぶ国民の割合	67.1%	75%以上
13 食品ロス削減のために何らかの行動をしている国民を増やす	⑳食品ロス削減のために何らかの行動をしている国民の割合	76.5%※	80%以上
14 地域や家庭で受け継がれてきた伝統的な料理や作法等を継承し，伝えている国民を増やす	㉑地域や家庭で受け継がれてきた伝統的な料理や作法等を継承し，伝えている国民の割合	50.4%	55%以上
	㉒郷土料理や伝統料理を月1回以上食べている国民の割合	44.6%	50%以上
15 食品の安全性について基礎的な知識を持ち，自ら判断する国民を増やす	㉓食品の安全性について基礎的な知識を持ち，自ら判断する国民の割合	75.2%	80%以上
16 推進計画を作成・実施している市町村を増やす	㉔推進計画を作成・実施している市町村の割合	87.5%※	100%

※は令和元年度の数値

（農林水産省 https://www.maff.go.jp/j/syokuiku/plan/4_plan/togo/html/part20.html）

section 3 保育所における食育の推進

調べてみよう

お正月とお雑煮，子どもの日にちまき，など，行事と結びついた食べ物にはどんなものがあるか調べてみよう．またなぜそのような風習が生まれたかも調べてみよう．

- 保育所保育指針は各保育園の保育の質を高める観点から10年に一度改定されており，2017（平成29）年に新指針が告示された．改定にあたっては，保育園利用児童の増加や子供・子育て支援新制度の施行，児童虐待対応相談件数の増加など社会情勢の変化を受けて見直しが図られ，2018年4月より施行されている．保育所保育指針改定の方向性としては，次の5つが挙げられている．

---
① 乳児，1歳以上3歳未満児の保育に関する記載の充実
② 保育所保育における幼児教育の積極的な位置づけ
③ 子どもの育ちをめぐる環境の変化を踏まえた健康および安全の記載の見直し
④ 保護者・家庭 および地域と連携した子育て支援の必要性
⑤ 職員の資質・専門性の向上

- 保育所保育指針のなかで，食育の推進については第3章の「健康及び安全　2. 食育の推進」に位置付けられており，（1）保育所の特性を生かした食育，（2）食育の環境の整備等について次のように記載されている．

（1）保育所の特性を生かした食育
ア：保育所における食育は，健康な生活の基本としての「食を営む力」の育成に向け，その基礎を培うことを目標とすること．
イ：子どもが生活と遊びの中で，意欲をもって食に関わる体験を積み重ね，食べることを楽しみ，食事を楽しみ合う子どもに成長していくことを期待するものであること．
ウ：乳幼児期にふさわしい食生活が展開され，適切な援助が行われるよう，食事の提供を含む食育計画を全体的な計画に基づいて作成し，その評価及び改善に努めること．栄養士が配置されている場合は，専門性を生かした対応を図ること．
（2）食育の環境の整備等
ア：子どもが自らの感覚や体験を通して，自然の恵みとしての食材や食の循環・環境への意識，調理する人への感謝の気持ちが育つように，子どもと調理員等との関わりや，調理室など食に関わる保育環境に配慮すること．
イ：保護者や地域の多様な関係者との連携及び協働の下で，食に関する取組が進められること．また，市町村の支援の下に，地域の関係機関等との日常的な連携を図り，必要な協力が得られるよう努めること．
ウ：体調不良，食物アレルギー，障害のある子どもなど，一人一人の子どもの心身の状態等に応じ，嘱託医，かかりつけ医等の指示や協力の下に適切に対応すること．栄養士が配置されている場合は，専門性を生かした対応を図ること．

- 以上を踏まえて保育士は，園に栄養士が配置されている場合には保育と食育を連動させた計画を作成し，連携を十分取りながら推進する必要がある．
- 食育は0歳児からスタートしていることを念頭に，0歳児段階，1歳児から3歳児段階，3歳児から5歳児と，きめ細やかな対応が求められる．それぞれの段階に応じたねらいと内容については保育所保育指針の第3章「健康及び安全　2. 食育の推進」を参照する．

知っておこう！ Notice! 保育所における食育に関する指針

目標
現在を最もよく生き，かつ，生涯にわたって健康で質の高い生活を送る基本としての「食を営む力」の育成に向け，その基礎を培うこと

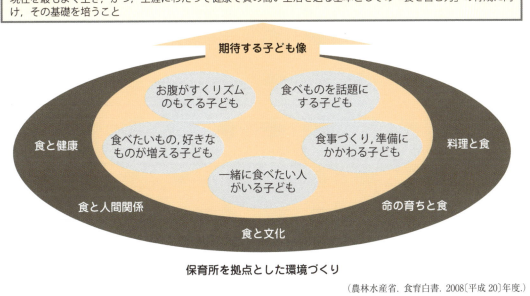

（農林水産省．食育白書．2008〔平成20〕年度．）

「食育推進施策（食育白書）」は，令和2年度版が農林水産省のHPで確認できます．全文に目を通してみましょう（本図は令和2年度版には掲載されていません）．

section 4 保育所における食育推進の計画・実施・評価

食育の進め方

- これまで保育現場では，「保育」と「食育」が切り離された形で実施されていたことはいなめない．保育士は，保育の一環として「食育」をとらえ，食事のマナーやいも掘りなど野菜の収穫体験を中心にした活動を行っている．一方，栄養士をはじめとした給食担当者は，給食の一環として「食育」をとらえ，給食内容の充実や調理体験が主な活動である．しかし，子どもの成長・発達のためには，保育士・栄養士が単独でそれぞれで行うのではなく，一体となって進めることが求められている．
- 食育の計画は年間計画を立てるなど，一貫性のあるものとして「保育課程」「指導計画」にしっかりと位置づける必要がある．したがって，食育計画と保育計画は保育士と栄養士が協力しながら作成することが重要であり，計画作成の段階からの連携が大切である．
- 保育所での食育の計画は❶のようにパターンが2つある．いずれも園長を中心に保育士と栄養士などが話し合い，保育目標を共有し，連携しながら作成することが大切である．
- 計画から評価までの手順としてPDCA[*1]サイクルがある．食育の視点を含めた保育課程を作成する．
  ▶食育の視点を含んだ指導計画を立てる．

*1
P（plan）保育の計画
D（do）実践
C（check）評価
A（action）改善

❶ 保育所における食育の計画

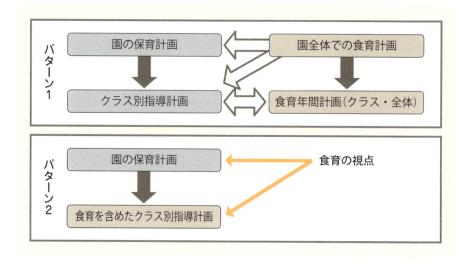

4 保育所における食育推進の
計画・実施・評価

❷ 食事の提供の評価

食の提供における質の向上のためのチェックリスト		
評価項目	評価	課題・改善が必要なこと
① 保育所の理念，目指す子どもの姿に基づいた「食育の計画」を作成しているか	1　2　3　4　5	
② 調理員や栄養士の役割が明確になっているか	1　2　3　4　5	
③ 乳幼児期の発育・発達に応じた食事の提供になっているか	1　2　3　4　5	
④ 子どもの生活や心身の状況に合わせて食事が提供されているか	1　2　3　4　5	
⑤ 子どもの食事環境や食事の提供の方法が適切か	1　2　3　4　5	
⑥ 保育所の日常生活において「食」を感じる環境が整っているか	1　2　3　4　5	
⑦ 食事の活動や行事について，配慮がされているか	1　2　3　4　5	
⑧ 食を通した保護者への支援がなされているか	1　2　3　4　5	
⑨ 地域の保護者に対して，食育に関する支援ができているか	1　2　3　4　5	
⑩ 保育所と関係機関との連携がとれているか	1　2　3　4　5	

1. よくできている　2. できている　3. 少しできている　4. あまりできていない　5. できていない

上記の項目に加え，次の項目についても確認してみましょう．		
① 保育士，調理員，栄養士，看護師，園医等による"食育に関する委員会"が定期的に開催されているか	1　2　3　4　5	
② 給食に関する緊急対応マニュアル（アナフィラキシー，食中毒，災害時）が作成されているか	1　2　3　4　5	
③ 食育について専門性を高めるため，研修会に幅広く参加しているか	1　2　3　4　5	

1. よくできている　2. できている　3. 少しできている　4. あまりできていない　5. できていない

(日本保育園保健協議会. 保育保健における食育実践の手引き 2012)

⚲ アナフィラキシー
→ p.137

⚲ 食中毒
→ p.118

▶ 食育の実施後，計画や内容を評価し（❷），改善する．この一連のサイクルに基づいてすべての職種による相互協力のもとに各地域や施設の特性に応じた食育計画を策定して，食育の推進を図ることが重要である．

発育・発達段階に応じた食育(❸)

- 子どもが自らの感覚や体験を通して，自然の恵みとしての食材や調理する人への感謝の気持ちが育つよう年齢に応じた食育計画を立てる．

❸ 発育・発達に応じた食育

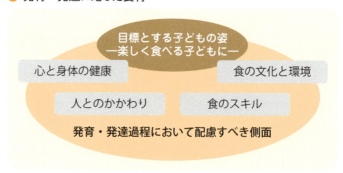

(厚生労働省．食を通じた子どもの健全育成のあり方に関する検討会報告書．2004．)

食育活動の実践で重要なこと

◉ 充実した食育活動は保育者間の連携・コミュニケーションから

▶子どもたちが，楽しみながら「食べること」に興味関心をもち，望ましい食習慣を身につけられる環境を整えるには，保育や食育活動にかかわる大人が良好な関係でいることが重要である．集団保育の場であれば，保育士，栄養士，調理従事者，看護師，嘱託医がそれぞれの役割と専門領域を理解・尊重し，立場の違いを超えて活動を進めることが，子どもたちにも大きな安心感を与えることになる．

▶「保育所保育指針」や「幼稚園教育要領」でも述べられている「連携」の重要性については，まだ職員間の共通認識がもてずに，模索している保育所や幼稚園も多い．

▶共通認識をもつには，それぞれの役割分担を明確にすることが重要である．「保育保健における食育実践の手引き 2012(日本保育園保健協議会発行)」には，それぞれの役割分担が明記されている．

▶日頃の情報伝達不足，聞いていても理解できていない，連絡が保育者間で共有できていないなどの理由から役割分担の意識がずれ，活動がうまく進んでいないといったことが共通認識のもてない要因である．このような場合，最も重要なことは「報告・連絡・相談(ホウレンソウ)」の徹底である．まずは，小さなことでもその都度報告や連絡を行い，自分で判断できない場合は，園長や他職種に相談することが重要である．園内であれば，「報告・連絡・相談」の取りまとめ役は園長が担うことになる．園長が，園全体の問題を把握したうえで，各職員の立場での視点を考慮し，随時，助言や提案を行うことで，

職員間のコミュニケーションが進む.

▶ 家庭との連携も重要である．保護者と園とのやりとりは，食育だよりや給食だより，連絡帳を通じて行っているが，栄養士と保護者が接する機会が少なく，交流のきっかけがもてないということもある．保護者から給食や食育に関する一言メッセージをもらえるように玄関や給食室の前にノートを置いておくと，直接交流する機会が少なくても「報告・連絡・相談」は可能となり，信頼関係を深めることになる.

◉ 教材を活用した食育活動

▶ 保育者が子どもたちに伝えたいことがあるとき，言葉や身振り手振りだけで伝えるには限界がある．子どもたちが知らないことをこれから初めて体験するとき，伝える側の保育者と子どもたちのやりとりを手助けする教材が必要となる．食育に関する教材は，その取組みのなかで効果的に用いると，子どもたちの理解も一層高まる.

▶ 食育活動では，市販品や手作りの教材だけでなく，給食や収穫物のような身近なものすべてが子どもたちに食への興味をもたせる媒体となる．教材の代表的なものとしては，食べ物をテーマにした絵本，紙芝居，音楽，パネルシアター，お絵かき，ぬいぐるみ，食育エプロン，かるたやカードなどがある．それ以外の身近なものとして，毎日の給食から食べ物の働きを伝える，食事のマナーを身につける，クッキング体験によって作ることの楽しさを体感するなど，物事の見方を食育の視点からとらえるだけで，すばらしい教材になる.

▶ こうした教材を使うことで，子どもたちの発達を把握することができる．たとえば，収穫体験活動の前に子どもたちがその活動の内容をどのくらい知っていて，どのくらいの興味をもっているかを知ることができれば，実際の活動を行う際に参考になる．また，収穫体験への期待を高め，興味をもたせることも可能である．子どもたちの「何があるんだろう？　どんなことをするんだろう？」といった「ワクワクドキドキ」する気持ちを盛り上げることにもなり，実際の体験をしたときの理解度が違ってくる.

実践事例*2

- 保育所での実践事例を❹，❺に示す.
- 保育所の食育の充実に向けて共通目標を設定し，子どもの食の実態調査から重点テーマを決め，それをふまえて各園で創意工夫をして実施した.
- 保育所全体の取組みにするには，保育士と栄養士など給食担当者の意識の共有が重要であるため，研修を通して情報交換や意識の共有を図った．栄養士が配置されていない保育所については，配置されている保育所の栄養士が助言・支援する体制をとった.

考えてみよう

食育に無関心な親に，食育に関心をもってもらうようにするにはどんな方法があるだろう.

---

*2
毎年，農林水産省から公表されている「食育白書」にも保育所での好事例が紹介されている.

❹ 区立保育園における食育の体系

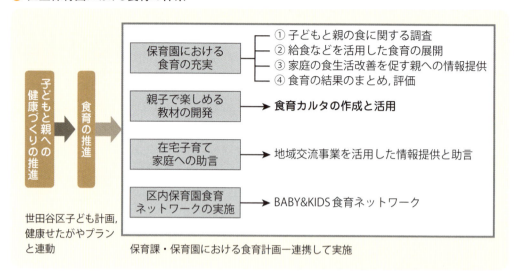

(世田谷区子ども部保育課食育計画. 2006.)

❺ 計画・実施体制

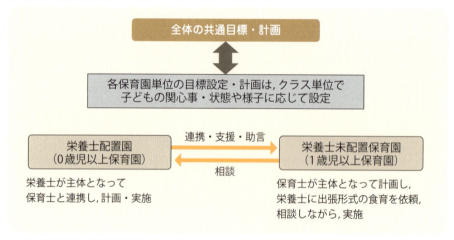

(世田谷区子ども部保育課食育計画. 2006.)

給食を通した食育

保育所で提供される給食そのものが生きた教材となる．いろんな味を体験することで，子どもの好き嫌いをなくすことにもつながる．また，給食サンプルを展示することにより，家庭での食事づくりの参考にもしてもらえる．

自然のものを食べる

みかん狩り：参加するのは1歳児から5歳児まで．みかんが緑色から黄色になることと，「すっぱくておいしい」味覚を体験する．

焼き芋づくり：いも堀り体験を通して収穫の喜びを知り，焼き芋づくりで食べる楽しさを知る．

野菜とともに育つ子どもたち

植物の育つ力を日々感じたうえで，収穫を体験する．水やりをして成長を見ながら育てた野菜は子どもの食べる意欲を育てる．

第4章 食育の基本と実践

遊びを通した食育

カルタ遊びや給食で残った野菜くずを使ってお絵かきを通して食に関心をもつ．

3つの色の食べ物を探そう

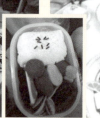

フエルト食材を用いたお弁当ごっこ

親子でクッキング

食材にさわって感触を知り，においや見た目，味わいを楽しむ．また，親が自分の子どもの家庭での姿とは違った様子を知ることができる．

保護者への情報提供

(東京都世田谷区 web　https://www.city.setagaya.lg.jp/mokuji/kodomo/003/001/002/001/d00120217.html)

ホームページを活用し，給食のレシピ紹介や調理活動，収穫体験などの保育所での活動を保護者を対象に提供している．

第4章 | 食育の基本と実践

section 5 学校給食の現状

- 学校給食は「学校給食法」に基づき，教育活動として実施されている．
- 学校給食の目的は，「児童および生徒の心身の健全な発達に資するものであり，かつ，児童および生徒の食に関する正しい理解と適切な判断力を養ううえで重要な役割を果たすものであること」とされ，この目的を実現するために7つの目標が掲げられている（❶）．
- 学校給食には「完全給食」（パン・米飯など，ミルク，おかず），「補食給食」（ミルク，おかず），「ミルク給食」（ミルクのみ）の3つの区分がある．また，学校給食の調理方式には，自校の調理室で調理する「単独調理場方式」と，共同調理場で複数校分を調理する「共同調理場方式」がある．
- 学校給食の実施状況は，2018（平成30）年5月1日時点で完全給食実施率が小学校で98.5％，中学校で86.6％である．
- 学校給食法に基づき「学校給食実施基準」が示されており，この基準に合わせて適切な学校給食を実施することが求められている．基準は全国的な平均値であり，児童生徒の実態や地域の実情に配慮して弾力的に運用することになっている．
  - ▶最新の学校給食実施基準[*1]では，エネルギーは1日の推定エネルギー必要量の33％としている．ナトリウムは目標量の33％未満，カルシウムは1日の50％，鉄は1日の33％を基準としている．ビタミン類は基本的には1日の推奨量の33％としているが，ビタミンA，ビタミンB_1，ビタミンB_2は40％を基準としている．
- 学校給食の献立は，時代に応じて食材の変遷があり，1976年には米飯給食が開始された．
- 現在では，「バイキング給食」，「セレクト給食[*2]」や「予約給食（リザーブ給食）」などを取り入れている学校もある．
- 学校給食においては，献立内容だけでなく，食堂（ランチルーム）や食器など，食事環境の整備も重要である．

考えてみよう

イベント給食はどのような思い出になるだろうか．また，どのような役割があるか考えよう．
例：誕生日会（成長を喜び祝うことでいのちの大切さ，人を思いやる気持ちが育つ）

*1 学校給食実施基準の一部改正について（文部科学省．https://www.mext.go.jp/a_menu/sports/syokuiku/1407704.htm）

*2 数種類あるメニューの中から，自分で選択すること．食に関心をもってもらい，食への判断力を培うねらいがある．

❶ 学校給食の目標（学校給食法 第2条）

①適切な栄養の摂取による健康の保持増進を図ること．
②日常生活における食事について正しい理解を深め，健全な食生活を営むことができる判断力を培い，および望ましい食習慣を養うこと．
③学校生活を豊かにし，明るい社交性および協同の精神を養うこと．
④食生活が自然の恩恵のうえに成り立つものであることについての理解を深め，生命および自然を尊重する精神並びに環境の保全に寄与する態度を養うこと．
⑤食生活が食にかかわる人々のさまざまな活動に支えられていることについての理解を深め，勤労を重んずる態度を養うこと．
⑥わが国や各地域の優れた伝統的な食文化についての理解を深めること．
⑦食料の生産，流通および消費について，正しい理解に導くこと．

知っておきたい 食のお話

給食にも取り入れられている郷土料理

季節の野菜や魚介など，その時期でもっともおいしく，栄養価も高いとされる食材を使った郷土料理は，学校給食の献立にも取り入れられている．地域ごとの暮らしに密着した料理を通じて，食文化への関心を高めたい．

1 北海道　三平汁

北海道で豊富にとれるサケやニシンなどを使った料理．塩づけの魚を根菜類とともに煮込んだ塩汁．名前の由来はさまざまあり，室町時代までさかのぼる説もある．

献立の分類 主菜，副菜

2 東京都　深川めし

東京・深川で貝類が名産だったことから，江戸時代に生まれたとされる漁師料理．しょうゆなどで煮たアサリを，煮汁ごとご飯にかけた丼．

献立の分類 主食，主菜，副菜

3 山梨県　ほうとう

江戸時代，米作りが難しかった山梨県の山間部では麦を栽培していた．収穫した麦を麺にして，季節の野菜と一緒にみそで煮こんで食べたのがほうとうである．

献立の分類 主食，副菜

4 三重県　たこめし

三重県鳥羽市にある答志島はタコ漁が一年中行われている．新鮮なタコのうまみをいかすため，ほかの具をあまり入れずに食べる．

献立の分類 主食，主菜，副菜

5 広島県　かきめし

カキは広島の特産品で，室町時代から養殖が行われている．かきめしはカキの炊き込みご飯だが，カキをそのまま炊き込む，カキを醤油で煮込んだ出汁でご飯を炊き込む料理．

献立の分類 主食，主菜，副菜

6 愛媛県　いぎす豆腐

7，8月にとれる海藻のイギスと生の大豆粉をだし汁で煮溶かし，寒天のように固めてつくられる．越智・今治地方で，お盆や法事に欠かせない料理．

献立の分類 主菜

7 福岡県　がめ煮（筑前煮）

福岡県で鶏肉とゴボウの消費量が多いのは，がめ煮がよく食べられるからといわれている．がめ煮の由来は諸説あり，方言や昔の地名など，さまざまである．

献立の分類 主菜，副菜

8 沖縄県　ゴーヤチャンプルー

「チャンプルー」とは沖縄の方言で「ごちゃまぜ」という意味．その名の通り，沖縄の伝統食のゴーヤーを豆腐と卵や肉などとまぜ，炒めた料理．

献立の分類 主菜，副菜

（参考：農林水産省 http://www.maff.go.jp/j/syokuiku/kodomo_navi/cuisine）

section 6 栄養教諭

話し合ってみよう

だれにでも好き嫌いはあるもの。給食でだされた食材を嫌いだといいだした子にはどのように対応するのがよいだろうか。

- 栄養教諭は2005年に制度化された（学校教育法，学校給食法，学校保健安全法）．
  ▸ 栄養教諭は栄養士免許，管理栄養士免許が基礎資格となり，教員養成にかかわる単位を修得する必要がある．
  ▸ 栄養教諭の配置状況は年々増加しており，2020年度は47都道府県で6,652人である．
- 栄養教諭は学校における食育推進の要として，学校給食を生きた教材として活用した「食に関する指導」と献立作成や衛生管理などの「学校給食の管理」を一体的に展開することを職務とする（❶）．
- 学校において食育を推進するためには，計画的に継続的な教育が必要である．そのための「食に関する指導の全体計画」の作成に栄養教諭は中心的に参画する．
- 「食に関する指導」は，食に関わる「知識・技能」，「思考力・判断力・表現力等」，「学びに向かう力・人間性等」を育成することをめざし，6つの「食育の視点」（❷）から実践していくことが求められている．

❶ 栄養教諭の職務

区 分	内 容
食に関する指導	① 児童生徒への個別的な相談指導（偏食傾向，痩身願望，肥満傾向，食物アレルギー，運動部活動など）． ② 児童生徒への教科・特別活動などにおける教育活動． ③ 食に関する指導の連携・調整．
学校給食の管理	① 学校給食に関する基本計画の策定への参画． ② 学校給食における栄養量および食品構成に配慮した献立の作成． ③ 学校給食の調理，配食および施設設備の使用方法などに関する指導・助言． ④ 調理従業員の衛生，施設設備の衛生および食品衛生の適正を期するための日常の点検および指導． ⑤ 学校給食の安全と食事内容の向上を期するための検食の実施および検査用保存食の管理． ⑥ 学校給食用物資の選定，購入および保管への参画．

❷ 学校における「食育の視点」

項 目	内 容
食事の重要性	● 食事の重要性，食事の喜び，楽しさを理解する．
心身の健康	● 心身の成長や健康の保持増進のうえで望ましい栄養や食事のとり方を理解し，自ら管理していく能力を身につける．
食品を選択する能力	● 正しい知識・情報に基づいて，食物の品質および安全性などについて自ら判断できる能力を身につける．
感謝の心	● 食物を大事にし，食物の生産などにかかわる人々へ感謝する心をもつ．
社会性	● 食事のマナーや食事を通じた人間関係形成能力を身につける．
食文化	● 各地域の産物，食文化や食にかかわる歴史などを理解し，尊重する心をもつ．

（文部科学省．食に関する指導の手引 第2次改訂版．2019.）

6 栄養教諭

(https://www.maff.go.jp/j/syokuiku/kodomo_navi/letstry/index.html)

知っておこう！ Notice! 食事バランスガイドを知っていますか？

　食事バランスガイドは1日に「何を」「どれだけ」食べたらよいかを示したものである．2005（平成17）年に厚生労働省と農林水産省により公表された．親しみやすいイラストを活用し，子どもから高齢者まで，一人ひとりが食生活の見直しに取り組めるように考えられている．家で食事をするときも，食品を購入するときも，外食店を利用するときも，それぞれの料理区分の「いくつ分」になるかを数えることができると，食生活管理に有用である．

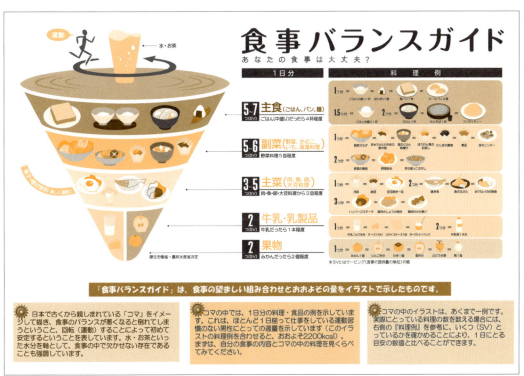

（厚生労働省・農林水産省．食事バランスガイド．2005．）

107

ひな祭りと祝いの料理

> 3月3日は，女の子の健やかな成長と厄除けを願うひな祭り（桃の節句）が行われる．その起源は古く平安時代までさかのぼり，人形を厄とともに川に流すという風習から生まれたとされている．江戸時代には女の子の人形遊びと結びつき，現代にも伝わるひな祭りへと変わっていった．季節の食材を取り入れた行事食と，その由来も知っておこう．

三色は春の訪れ？

ひな祭りの行事食で代表的なのが，ひし餅．桃色，白，緑の色使いだが，これは桃の花（桃色），雪（白），新芽が萌える大地（緑）という春らしい風景を表しているといわれている．また，はまぐりのお吸い物とちらし寿司も欠かせない．はまぐりは貝合わせという平安時代の遊びにあるように，元の貝殻と一対でないとぴったりつかないことから仲のよい夫婦を表し，一人の相手と一生結ばれるようにとの願いが込められている．ちらし寿司は行事的な意味合いよりも，長寿を象徴したエビや，"見通しがよい"レンコンといった縁起物の具材で，祝いの食事として好まれている．菜の花など旬の食材もプラスして，彩りと栄養価を高めるのもいい．

第5章

児童福祉施設や家庭における食と栄養

第5章 | 児童福祉施設や家庭における食と栄養

section 1　児童福祉施設における食に関する指針

児童福祉施設とは

- 社会福祉施設の一つで，児童の福祉のための施設の総称である．
- 事業内容は児童福祉法に基づき規定されており，入所型，通所型，医療型，福祉型の施設に大別される．

児童福祉施設の食事

- 入所施設[*1]の食事は1日3食，ほかに肢体不自由児施設，重症心身障害児施設は場合により治療食を提供する．
- 通所施設[*2]では1日1食を提供する．

児童福祉施設における食事の提供ガイド

- 2010（平成22）年に厚生労働省より発表された「児童福祉施設における食事の提供ガイド」には次のようなことが示されている．

◉現代の食をとりまく状況から─食事の役割

▶ **日本人の食事摂取基準**：エネルギーおよび栄養素欠乏症，生活習慣病，過剰摂取による健康障害を予防するためには，食事の量と質について検討した食事計画を立てる．

▶ **食育基本法，食育推進基本計画**：現代の食の変化に対応するために，将来にわたり健康であり文化的な豊かで活力ある社会の実現に向けて「食育」を推進する．

▶ **保育所保育指針**：保育所[*3]での食育推進は，健康な生活の基本としての「食を営む力」を育成するため，保育の計画に位置づける．

▶ **授乳・離乳の支援ガイド**：乳幼児の支援には，肥満予防，食物アレルギー対応，咀嚼機能の発達にあわせて進めていく．

▶ **社会的養護体制の充実**：乳児院，児童養護施設などの施設では，虐待を受けた子どもの入所が増加している．できる限り家庭的な雰囲気のなかで社会的自立を促すために，ケア形態の小規模化が推進されている．

▶ **障害児施設における栄養ケア・マネジメントの導入**：栄養健康状態の維持や食生活の質の向上を図るために，栄養ケア・マネジメントの重要性が高まっている．

[*1] 乳児院，児童養護施設，知的障害児施設，盲ろうあ児施設，児童自立支援施設．

[*2] 保育所，幼保連携型認定こども園，知的障害児通園施設，難聴幼児通園施設．

[*3] **保育所と保育園の違い**
保育施設としての違いはない．児童福祉法では「保育所」を正式名としているが，一般社会では「保育園」が使われている．

section 2 児童福祉施設と給食の役割

給食の役割

- 子どもたちの心身の育ちを支え，望ましい生活習慣や食習慣の基礎を作る．
- さまざまなことを仲間や職員とともに分かち合い，食事の準備や調理などの共同作業を体験しながら，知識や技術を身につけていく．
- 経験の積み重ねにより「食を営む力」を育成し，最終的には社会的自立を目指す．

児童福祉施設最低基準

- 児童福祉法では施設の設備と運営について定められた，児童福祉施設最低基準がある．食事についての基準は次のようなものである．
    - ▶入所者に食事を提供するときは，その献立はできる限り変化に富み，健全な発育に必要な栄養量を含有するものでなければならない．
    - ▶食事は，食品の種類および調理方法について，栄養ならびに入所者の身体的状況および嗜好を考慮したものでなければならない．
    - ▶調理は，あらかじめ作成された献立に従って行わなければならない．

子どもにあった食事提供

- 入所前の成育歴などから発育と発達の状況，健康と栄養の状態，生活状況などを把握しておく．
- 子どもの咀嚼・嚥下機能などの発達にあわせた食品(種類，量，大きさ，硬さ)と食具を提供する．
- 乳児は家庭での生活を考慮して，離乳食時間，調理法，量などを決めていく．冷凍母乳は衛生管理を徹底する．
- 食材の選定や保管方法，調理後の温度管理を徹底する．
- 地域の食文化にも対応した食事内容や行事食などを取り入れる．
- それぞれの喫食率を把握して全職員で評価し，食事の質にも配慮する．
- 体調不良，食物アレルギー，障害のある子などの場合には，職種間で連携を取り，専門性をいかした対応を図る．

冷凍母乳
→ p.50, 65, 131

第5章｜児童福祉施設や家庭における食と栄養

section 3 児童福祉施設での食事の提供で注意すべき点

給食の課題と配慮すべき点

- 季節の食材や郷土料理，また外国の料理などを参考にし，新献立を増やしていく．
- 食物アレルギーへ対応した治療食などは，他の子どもとの献立の違いから精神的影響が出やすいため，正しい知識と理解を与えるなどのケアを怠らない．
- 食中毒に対する衛生管理など，リスクマネジメントを徹底する．
- 保護者の昼食への関心低下を防ぐ．
- 自園調理，外部委託，外部搬入の利点・欠点を理解し（❶），よりよくするために対応する．

◉保育所の給食[*1]
- ▶自園調理は園内の調理室で職員が子どもの健康状態にあわせて作る．
- ▶外部委託は委託した業者が調理業務を行う．
- ▶外部搬入は施設外から調理した食事を搬入する．

食支援のために配慮したい事項

- **乳汁の与え方**：一人ひとりに合わせた授乳の時刻，回数，量，温度に配慮する．優しい声かけを行う．集団においても個別対応が大切である．
- **離乳食の与え方**：一人ひとりの子どもの発育・発達状況，咀嚼や嚥下機能の発達，摂食行動などを考慮し，離乳食の内容や量を子どもに合わせて無理なく進めていく．
- **幼児期**：離乳食に引き続き，食品の種類や調理形態に配慮する．子ども自身の食べたい気持ちを引き出し，尊重する．手づかみ食べからスプーン，フォーク，箸を使うようになるので，食具で扱いやすい具材の大きさや，味覚の発達に合わせて味つけにも配慮が必要である．
- **学童期**：肥満ややせは将来の健康に関係することから，自分の食生活を振り返り，改善できる力を育てていく必要がある．日々の食事が児童の食習慣を作るので，学習の機会となるような配慮が必要である．そのために，食事の準備，後片付け，調理などを通して，マナー，行事食，食文化について体験しながら，基本的な知識や技術を学ぶ．
- **思春期**：自分の身体の成長や体調の変化，食事と健康，運動について知り，食生活や生活リズムなどを自己管理できるように支援する．習得した知識を応用して，自分に見合う食事量や食事・栄養バランスについて理解し実践できることや，

♪ **保護者との連携・協力**
園で行う年間計画は早めに伝え，詳細や用意するものなどの協力内容などもタイミングよく伝える．

[*1] 「食の提供における質の向上のためのチェックリスト」（p.97）で評価できる．

♪ **離乳食の進め方**
→ p.70

❶ 自園調理・外部委託・外部搬入の比較

形態	利点	課題・配慮すべき点
自園調理	● 園全体で食育に取り組む. ● 調理したての温かい料理の提供. ● 調理過程が匂い, 音などで感じられる. ● 食材の産地・流通経路が明確. ● 食物アレルギー, 体調不良などの対応が早い. ● 離乳食, 食物アレルギー食などの発達段階に応じた食の提供ができる. ● 衛生管理の状況把握がしやすい. ● 急な予定変更に対応できる. ● 調理体験が取り入れやすい. ● 自園での栽培収穫体験が食育にいかせる.	▶ 栄養士が不在の場合は, メニューの多様性がない.
外部委託	● メニューの多様性. ● 人件費の削減. ● 食材の購入・管理が不要. ● 主食の持参が不要. ● 食事の支度や後片付けが楽.	▶ 食の提供と保育を結びつける業務が難しい. ▶ 子ども一人ひとりに合わせた直接のふれあい不足. ▶ 保育所の食育の取り組み, 子どもの様子の理解不足.
外部搬入	● メニューの多様性. ● 人件費の削減. ● 食材の購入・管理が不要. ● 主食の持参が不要. ● 食事の支度や後片付けが楽. ● 調理室が最小限の規模で済む.	▶ 保育と連動した食育活動の低下. ▶ 食事内容の質の低下. ▶ 離乳食, 食物アレルギー食などの発達段階に応じたきめ細やかな食の提供不足. ▶ 配送時間を子どもの活動に合わせづらい. ▶ 離乳食など子どもに合わせた再調理を行う衛生面. ▶ 食事作業工程がみえない.

食生活の自立に向けて考えて支援する.

- **特別な配慮が必要な子どもへの対応**：体調不良, 食物アレルギー, 障害, 虐待など特別な配慮を必要とする場合がある. 一人ひとりの子どもの心身の状態などに応じた対応が重要である. 嘱託医, かかりつけ医などや, 子どもにかかわるすべての職員が連携, 協力して適切に行う. 職員間で情報を共有することで, 食事の提供をより適切に行う.
- **個別対応の仕方**：入所時は個別に状況を聞き取る. 定期的に状況を把握するが, 極端な体重増減があるときは家庭での様子を確認し, 給食にも反映させる.

第 5 章｜児童福祉施設や家庭における食と栄養

section 4 保育所における食に関する保護者支援

- 保育所における保護者の支援は，保育士らの業務であり，その専門性をいかした子育て支援の役割は，特に重要なものである[*1]．

*1
厚生労働省．保育所保育指針．第4章 子育て支援．2018（平成30）年．

連携のツール

- **連絡帳・アプリ**：家庭での食事や給食を食べた量，機嫌，体温，睡眠，排泄，けがといった子どもの健康状態，子どもの行動や言葉といった小さな出来事までもを毎日報告することで，保護者の子育てへの自信や意欲を高めることができる．
- 送迎時の対話，園だより・給食だより・予定献立表の配布，給食の展示，食材の紹介，レシピの紹介，食育計画の方針などを開示して，家庭でも参考にしてもらう．

保育所が行う保護者支援

- **保育所における食事，情報の提供および相談**：食に関する保護者の悩みは多く，保護者への個別支援が最も多い．そのほかさまざまな支援に取り組んでいる（❶）．
- 離乳食，肥満ややせ，食物アレルギー，体調不良などについては保護者との連携を密に行う．
- 保育時間の延長，休日と夜間保育，病児や病後児保育等，多様な保育が行われているが，食事提供に関しては，一人ひとりの子どもの精神面・体力面，保護者のニーズに配慮して検討されることが望まれる．

❶ 食に関する保護者への支援

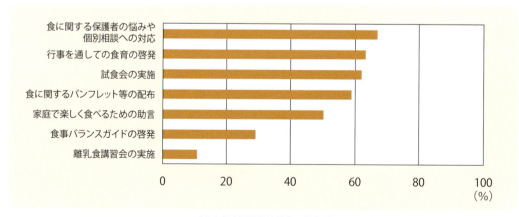

（日本保育園保健協議会．保育所における食事の提供に関する全国調査 2011．）

section 5 食に関する地域との連携

- 保育所が地域の子育ての拠点となるために，保育参観，保育体験，給食の試食など，保育と連動した活動を行う．
    - ▶ 情報の提供，相談や援助，交流の場を設けるなどの支援を行う．
    - ▶ 保護者と子どもとの交流，保護者同士の交流，地域のさまざまな人との交流などを通して施設の特性をいかした活動や事業運営を行う．
    - ▶ 保育所で実際に食べているもの，食べている様子を見せることで，子どもの月齢にふさわしい食事方法を保護者に知ってもらう．
    - ▶ 食育講習会，情報提供など食に関する相談・支援をする．
    - ▶ 園庭開放，行事交流案内など交流の場を提供する．
    - ▶ 案内の掲示，配布など地域の食育活動の情報を提供する．
    - ▶ 食育の拠点として地域保健と地域福祉をつなぐ[*1]．
    - ▶ 地域の商店や産業，地域の栄養士や食生活にかかわる人材などと連携して，親子が地域の良さを見直せるような活動を展開する[*2]．

保護者の自己決定を尊重する支援

- 保護者から食の悩みを相談されることがある．まず，保護者の話をよく聞いて保護者が自分で解決していくための方法を導き出せるように，その解決方法を一緒に考えていく．
- 保護者の頑張る姿を褒めたり励ましたりして，成功体験が繰り返されると保護者の達成感，幸福感につながっていく．保護者の成長を見守ることが大切である．

[*1] 保健センター，保健所，医療機関，教育機関などと情報交換やチームを組んで活動の輪を広げる．

[*2] 講習会開催，製造者による話や実演，行事食や郷土食でのふれあいなど．

子どもの日と祝いの料理

　5月5日の子どもの日は端午（たんご）の節句である．端午の端とは「始まり」，午は「うま」を意味し，月初めの午の日のことを指す．もともとは年間を通して月初めに行われていたが，午（ご）と五（ご）の語呂合わせから，5月5日となったといわれている．子どもの日にも伝統的な食物がある．その由来も知っておこう．

ちまきと柏餅と菖蒲のルーツ

- 子どもの日の行事食で代表的なのが，粽（ちまき）．そのルーツは古代中国の詩人であり，政治家でもあった屈原（くつげん）と関係している．屈原の命日にあたる5月5日には，彼が命を落とした川にちまきを投げ入れるという風習がある．これは屈原の遺体が魚に食べられないようにするためといわれており，国のために尽くした屈原を慕う国民からの弔いと，国の安泰の願いが込められた儀式とされている．やがて日本に伝わり，節句の際に厄除けとしてちまきが食べられるようになった．
- 代表的なもうひとつの行事食である柏餅は日本独自の文化である．柏は新芽が出るまで古い葉が落ちないことから，子孫繁栄の縁起物とされ，江戸時代ごろから柏餅が食べられるようになったといわれている．
- また，子どもの日は菖蒲の節句とも呼ばれるが，これは5月が運気の悪い月で，邪気払いに効果のあるとされる菖蒲を軒先に吊るしていた風習がその由来．武家社会の時代になると菖蒲を尚武（勇ましいこと）にかけて，男子の成長を祝う節句となったとされる．

第6章

食の安全

第6章 | 食の安全

section 1　感染症と食中毒の違い

*1
細菌とウイルスの違い
細菌（バクテリア）は自己増殖し，ヒトの細胞に侵入するか，毒素を出して細胞を傷害する．ウイルスは細菌より小さい．また単独では増殖できず，ヒトの細胞の中に入り増殖する．

- 感染症は，細菌やウイルス*1 などの病原体が体に侵入し，下痢，嘔吐，発熱，脱水症状が出て，最悪の場合，死に至ることもある．
- 食中毒は，細菌やウイルスなどに汚染された食品が体内に侵入し（❶），下痢，嘔吐，腹痛，頭痛，発熱などの症状を起こす病気である．
- 感染症と食中毒の違いは，食品を介して発症したものかどうかで判断する．
  ▶ 集団生活の場では，初期段階において感染症なのか，食中毒なのか判断しにくい場合がある．症状が出る前の食事内容を確認したり，すべての子どもの体調を調べ，食中毒が疑われた場合は最寄りの保健所に相談する．
- 乳幼児は抵抗力が弱く，保育所や幼稚園などの集団生活に入ると感染症や食中毒に感染する機会は飛躍的に増える．
- 乳幼児は，免疫機能や腸内細菌，消化酵素の働きが不十分であるため，少量の菌でも発症し，重症化しやすい．
- 集団生活で下痢や嘔吐などの症状が出た場合，保育士は子ども一人ひとりの健康状態の把握に努めるとともに，感染の拡大を防ぐため，手洗い，うがい，マスク着用などを行い，自分の健康管理に留意する．

食中毒とは？

食物や飲み物と一緒に口から入った大量の食中毒菌や，有害・有毒物質によって起こる．

胃腸炎症状（下痢，腹痛，嘔吐など）が主症状である．

普通は人から人に直接うつることはない．

食中毒菌が食物の中で増えていても，味や臭いは変わらない．

❶ 食中毒の主な種類と特徴

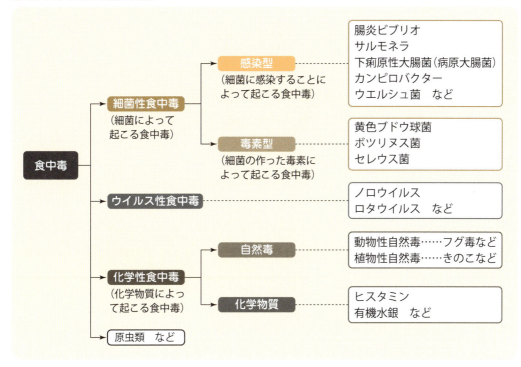

食中毒菌の性質

温かくて栄養分と水分のある環境だと猛スピードで増える．

熱には弱い．

増えるときに毒を作るものがある．

作った毒は加熱しても壊れない．

冷凍しても死なない．

低温だと増え方が遅くなる．

第6章　食の安全

乳幼児が特に気をつけたい食中毒

◉サルモネラ

▶乳幼児が集団生活する保育所などの施設では，サルモネラによる食中毒が流行しやすいといわれる．それは，サルモネラに感染した乳幼児の排泄物で寝具などが汚染される機会が多いからである．

▶潜伏期間は8〜48時間と幅がある．38〜40℃前後の発熱を伴い，吐き気，嘔吐，下痢，腹痛，発熱による全身倦怠感が主な症状である．1,000個程度の少ない菌数でも発症するといわれている．

▶汚染された寝具などが乾燥することによって，菌が空気中に飛び散り，施設中が汚染されてしまうことがある．こうなると徹底的な消毒を行わない限り，長時間にわたって室内の埃や器具，水道の蛇口などに菌が残存する可能性もある．また，感染してもほとんど症状が出ずに，菌を排泄している（健康保菌者）ことがあるので，調理や配膳をする人は，定期的に検便を受ける必要がある（原則月1回）．

▶食肉や鶏卵が原因となることが多く，店頭で販売されている肉の20〜30%という報告があるほど，肉類はサルモネラに汚染されやすい．また，鶏卵も殻の表面や中身が汚染されていることもある．これらの食材には調理時に十分火を通す必要がある．

♂ミドリガメなどの ハ虫類とサルモネラ

カメなどのハ虫類の50〜90%はサルモネラを保菌している．保育所などではハ虫類を飼育しないことが一番である．飼育する際には，もし触れたら手指を石けんで十分に洗うこと．

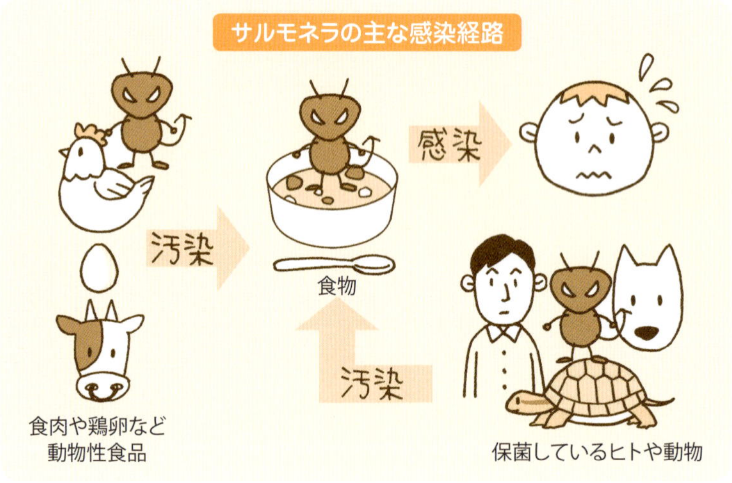

サルモネラの主な感染経路

汚染

感染

食物

汚染

食肉や鶏卵など動物性食品

保菌しているヒトや動物

◉カンピロバクター

▶乳児の細菌性下痢症の原因のトップがカンピロバクターである．この菌は，少量の菌でも食中毒を起こすので，しばしば給食や水による大規模な食中毒事件を起こす．

▶潜伏期間は2〜11日と長い．症状も頭痛，発熱といった風邪に似た症状が出たり，下痢や腹痛も軽いことが多いので，風邪やインフルエンザと間違わ

れることがある．
- ▶症状が回復しても長期間にわたって菌を排泄する（健康保菌者）ことがあるため，こまめに石鹸でよく手を洗うなど，注意が必要である．
- ▶カンピロバクターは豚や牛，ニワトリなどの腸管に常にいる菌であるため，食肉が原因食品となる．特に鶏肉が原因となることが多く，加熱不十分であったり，手指や調理器具を介しての二次汚染（生の鶏肉を調理したまな板や包丁を十分に洗わずに生野菜を調理するなど）で食中毒事件が起きている．

◉腸管出血性大腸菌（ベロ毒素産生性大腸菌）

- ▶大腸菌はヒトや動物の腸内に常に存在し，通常は病気の原因となることはない．しかし，一部の大腸菌は下痢を主症状とする急性胃腸炎の原因になるため，下痢原性大腸菌（病原大腸菌）と呼ばれる．なかでも腸管出血性大腸菌（ベロ毒素[VT]産生性大腸菌）は，腹痛や血便などの重い大腸炎を起こすだけでなく，乳幼児や高齢者では貧血や尿毒症を併発して死に至る場合もある．
- ▶これまでの集団発生事例の多くは，保育所や小学校など，子どもの集団施設で発生しており，2事例で3人が溶血性尿毒症症候群によって死亡している．原因食品は，北米の事例では加熱不足の牛肉やビーフハンバーガーなどの畜産食品によって発生しているが，日本では井戸水が原因として推定された1事例以外は，いずれも原因不明である．2011年には，焼肉店での発生事例があり，子どもと高齢者が死亡している．2017年に国内で発生した事例では，総菜店（2県にまたがる複数店舗）で購入したポテトサラダやマリネを食べた人が感染し，幼児が死亡した．混入経路は不明である．
- ▶感染後1〜14日で胃腸炎症状を発する．大量の新鮮血を伴う出血性下痢と激しい腹痛，吐き気，嘔吐，風邪の症状に似た寒気やくしゃみ，鼻水などの症状

が出る．下痢が回復したあとでも，場合によっては，溶血性尿毒症症候群を発症し，貧血や急性腎不全（尿が出ない），出血が止まらないなどの症状を呈する．

腸管出血性大腸菌の主な感染経路

感染している人や動物　汚染　水・食物など　感染

◉ **ウエルシュ菌**
▶ ウエルシュ菌は酸素があるところでは生きられず，芽胞という食物の種のような状態で土や水の中にいる．土や埃に混ざって食品を汚染すると，酸素が少ないところで増殖し，食中毒を起こす．症状は，下痢や腹痛，吐き気，嘔吐である．潜伏期間は6〜18時間と短い．
▶ 大量に作って室温で保管されたカレーや煮物などが原因食品になりやすい．保育所や小学校など，大量調理する給食でよく発生しており，別名「給食病」ともいわれる．

◉ **黄色ブドウ球菌**
▶ 黄色ブドウ球菌は，化膿した傷，おでき，にきびや鼻の穴の中，のど，髪の毛，ほこりの中など身の回りのどこにでも存在する．
▶ 手指の傷などを介して食品が汚染されると，増殖するときにエンテロトキシンという毒素を作る．吐き気，嘔吐，腹痛，下痢などの症状を呈し，潜伏期間は食後30分から6時間と非常に短いのが特徴である．
▶ 直接，手指を使って作るおにぎりや生菓子，ケーキなどが原因食品になりやすい．

♪乳児ボツリヌス症
→ p.144

◉ **ボツリヌス菌**
▶ ボツリヌス菌食中毒は，菌が増殖することによって作られる毒素を食品とともに摂取することによって起こる．しかし，乳児の場合は，口から入ったボツリヌス菌の芽胞が腸の中で発芽・増殖して毒素を作り，乳児ボツリヌス症という乳児特有の病気を起こすことがある．

- ▶ 原因食品ははちみつである．はちみつを使った菓子類も含めて1歳未満の乳児には食べさせてはいけない．
- ▶ 3日以上の便秘を経過し，哺乳力の低下，全身の脱力，泣き声が弱いといった症状が出て，呼吸困難に至る場合もある．

● ノロウイルス

- ▶ ノロウイルスは，感染性胃腸炎の原因となるウイルスである．感染力は非常に強く，ごく少量のウイルスでも口から体内に入ることで感染する．
- ▶ 年間を通じて発生するが，特に流行するのは11月～3月である．
- ▶ 乳幼児や高齢者は症状が重くなることもあり，予防対策が重要である．集団生活をしている保育所や幼稚園では，日頃の健康管理および衛生管理の徹底が必要である．
- ▶ 原因食品は感染したヒトや動物の汚物，二枚貝類などであり，最近では感染したヒトからの二次汚染が多い．
- ▶ 感染後24～48時間で，吐き気，嘔吐，発熱，腹痛，下痢などの症状が出る．感染するとウイルスは1週間程度ふん便とともに排出されるので，発生後しばらくは，トイレや部屋，調理室など，すべての場所の清掃とおもちゃや遊具などの洗浄をし，清潔に心がけることが重要である．
- ▶ 嘔吐や下痢などが続く場合は，脱水症状にならないように水分補給に努める．
- ▶ 外出後，トイレに行った後，調理や食事の前，嘔吐物やふん便を処理した後は，必ず手を洗う．嘔吐物の処理中に感染する場合もあるため，ビニール手袋やマスクを着用し，十分に注意する．
- ▶ 乳幼児が使うおもちゃや遊具など，器具類の消毒や食品の十分な加熱（85℃で1分以上）が必要である．

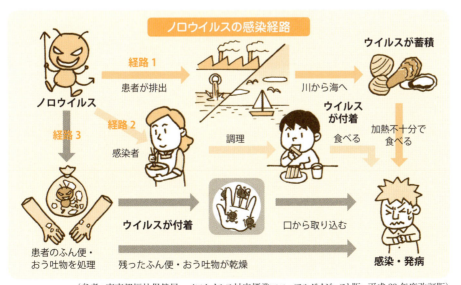

（参考：東京都福祉保健局．ノロウイルス対応標準マニュアルダイジェスト版．平成28年度改訂版）

第6章 | 食の安全

section 2 食中毒の発生状況と予防策

食中毒の発生状況

- 厚生労働省の食中毒統計調査2020（令和2）年によると，全国の病因物質別の食中毒発生状況は❶，全体の食中毒事件数の年次推移は❷，病因物質別事件数の月別発生状況は❸のとおりである．
- 大腸菌による食中毒はときに大規模になることがあり，2020年6月にはある給食会社の食材を使用した複数の社員食堂で患者数3,000人以上の事件が発生した．
- また近年，アニサキス食中毒[*1]が急増している．これは消費者が産地の業者から直接購入できるようになったり，冷凍技術や保存容器の改良の成果でより新鮮な魚介類が手に入りやすくなったことも原因のひとつと考えられる．
- 月別推移では，ノロウイルスが1月から3月に集中して発生している．

[*1]
アニサキスは寄生虫の一種で，イカなどの魚介類に寄生している．冷凍・加熱で死滅する．集団で起こることはないので事件数は多いが患者数は少ない．

クドア
正式名称はクドア・セプテンプンクタータといい，寄生虫の一種である．鮮魚介類，特にヒラメの刺身に存在する．

❶ 病因物質別の食中毒発生状況（2020年）

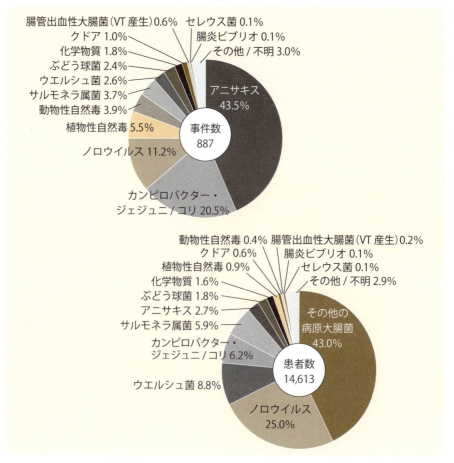

124

❷ 全体の食中毒事件数の年次推移

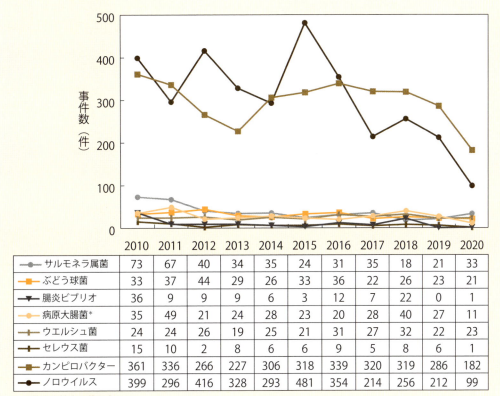

❸ 病因物質別事件数の月別発生状況

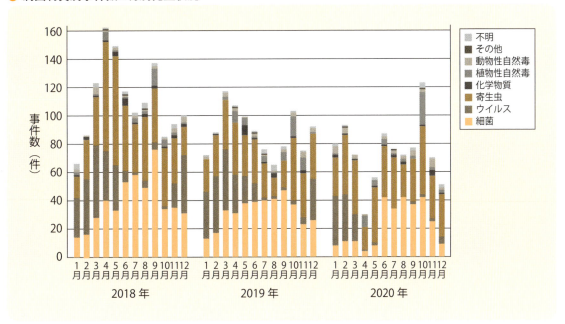

- カンピロバクターとノロウイルスによる食中毒が減少したのは，新型コロナウイルス流行防止のため，消費者一人ひとりが手洗いを徹底したこと，また，各種会食が自粛されたこと，さらに緊急事態宣言の発令による飲食店の休業などが要因ではないかと考えられる．
- 食中毒の発生状況は，その年の社会状況によって変わることも多い．厚生労働省から毎年発表されているのでHPなどで確認するとよい．

食中毒の予防策

- 食中毒を予防するためには予防の3原則（❹）を理解し，実践することが重要である．
    - ▶3原則とは「付けない」「増やさない」「やっつける」である．
- 食中毒は集団生活の場だけでなく，家庭での発生率も高い．家庭でできる食中毒予防の6つのポイント（❺）を参考に，衛生管理には十分注意を払う必要がある．

❹ 食中毒予防の3原則

❺ 家庭でできる食中毒予防の6つのポイント

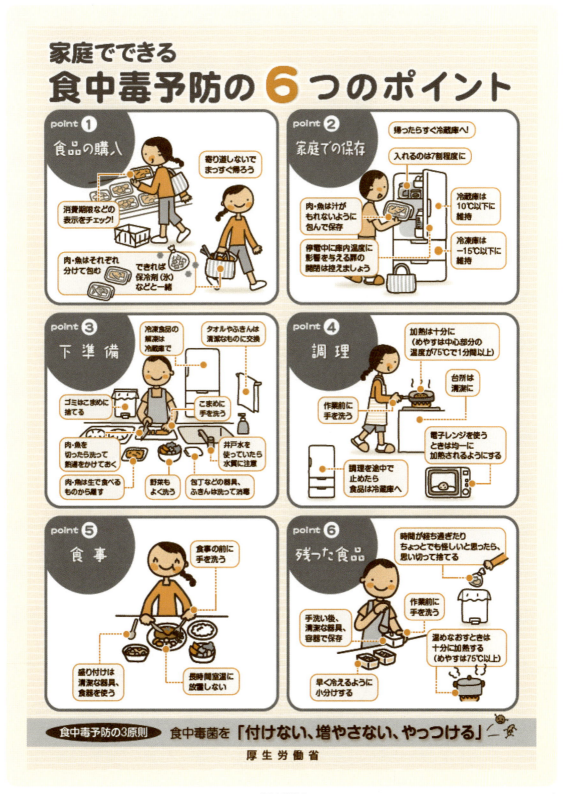

（厚生労働省 http://www.mhlw.go.jp/topics/syokuchu/dl/point0709.pdf）

第6章　食の安全

知っておこう！
Notice!

基本の手洗い手順

①流水で手を洗う

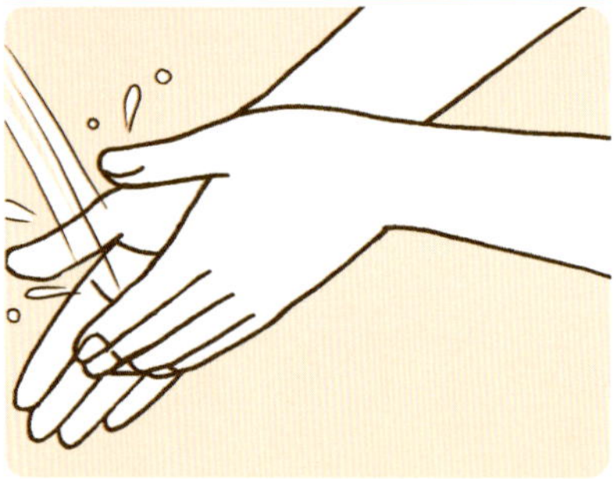

②洗浄剤を手に取る

③手のひら，指の腹面を洗う

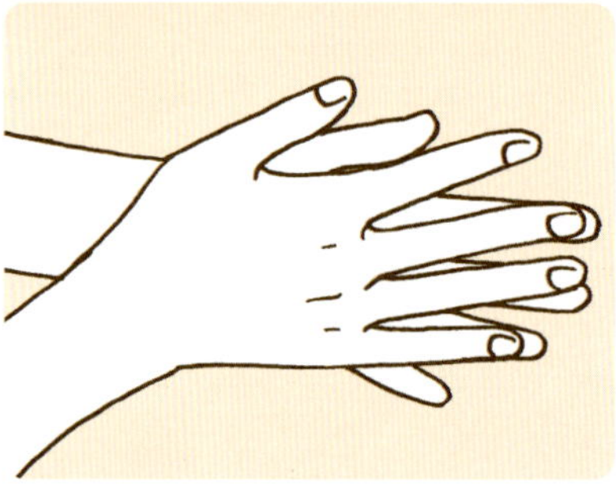

④手の甲，指の背を洗う

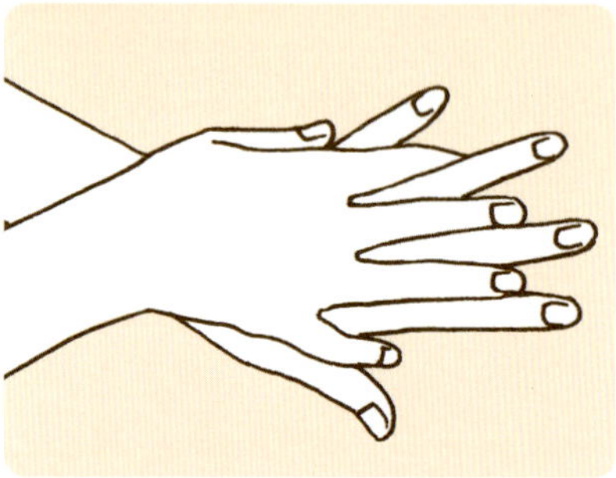

⑤指の間（側面），股（付け根）を洗う

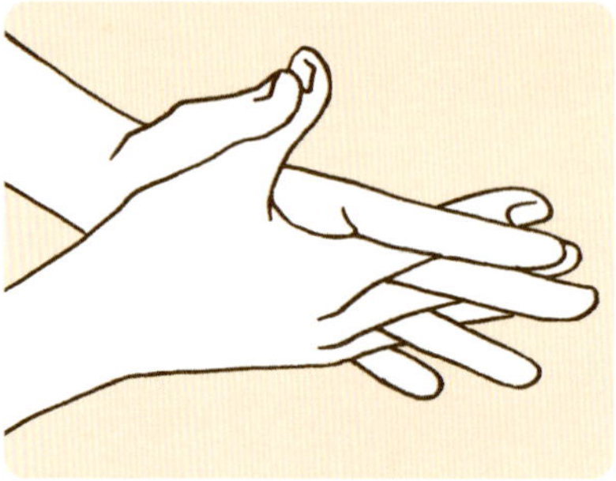

⑥親指・拇指球（親指の付け根のふくらみ）を洗う

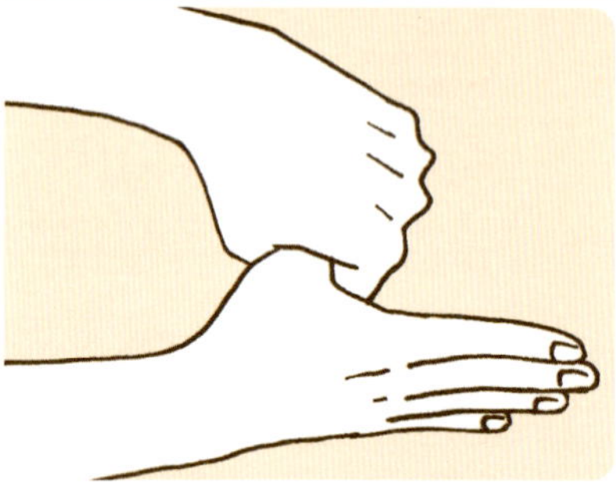

⑦指先を洗う

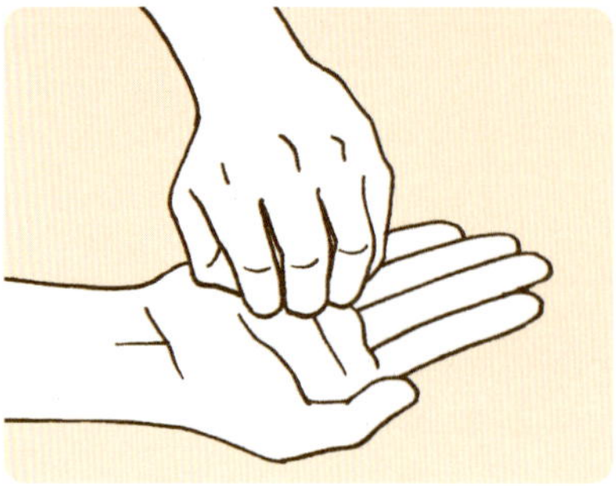

⑧手首を洗う

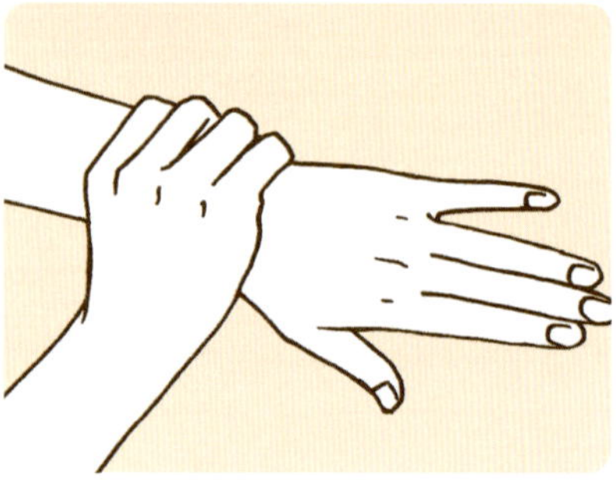

128

❷ 食中毒の発生状況と予防策

⑨洗浄剤を十分な流水でよく洗い流す

⑩手を拭き乾燥させる
※タオル等の共用はしないこと

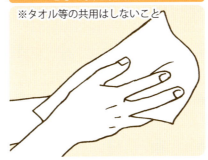

⑪アルコールによる消毒
※爪下・爪周辺に直接かけた後，手指全体によく擦り込む

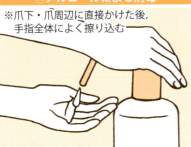

! 菌やウイルスを洗い流すには2度洗いが効果的（②〜⑨までをくり返す）

※爪ブラシは不衛生な取扱いにより細菌が増殖し，二次汚染の原因となってしまう場合がある．爪ブラシを使用する場合は十分な数を揃え，適宜消毒するなど衛生的な取扱いが必要となる．

手洗いミスをしやすいところ！

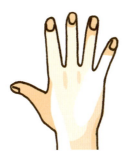

（日本食品衛生協会 http://www.n-shokuei.jp/eisei/sfs_tearai.html を基に作成）

129

第6章 食の安全

section 3 施設における衛生管理

- 乳幼児は抵抗力が弱いので，食中毒や感染症が重症化することも多く，感染拡大のおそれがある保育所などの集団施設においては，衛生管理は非常に重要である．おいしい食事を提供するだけでなく，安全で安心できるためには，栄養士をはじめ，調理従事者だけでなく，保育士ら施設の職員全体で衛生管理に対する意識をもち，実践できるように技術も高めていき，さらに保育者[*1]自身の健康管理にも留意する．
- 保育者は日頃から，子どもに対して正しい手の洗い方・拭き方など，基本的な衛生習慣が身につくように指導することは必須である．保護者に対しても正しい知識を提供し，感染症に関する発生状況について情報を提供することも大きな役割になる．

[*1] 管理者，園長，保育士，看護師，環境委員，栄養士，調理従事者．

給食を提供する際の衛生管理の留意点

- 食中毒を予防するための管理基準が「大量調理施設衛生管理マニュアル（大量調理マニュアル）」として示されている．特定多数人の喫食者に対して1回100食以上または1日250食以上提供している施設を特定給食施設といい（健康増進法），マニュアルに沿って衛生管理を徹底していく．
- 保育者は，相互に連携をとり，次のことに留意する．

◉ **給食調理段階**
- ▶ 食材料は当日納品とし，業者からの受け入れ段階で管理を徹底する（検収の実施と記録）．
- ▶ 当日調理とし，前日に仕込みを行わない．
- ▶ 献立は加熱調理したものを中心とし，加熱は中心部まで十分行う．75℃で1分以上[*2]加熱する．
- ▶ 食材料および調理済みの料理は温度管理に気をつけ，料理ごとに適温で管理し，調理終了後，2時間以内に喫食する．

◉ **検食，保存食**
- ▶ 給食を提供している施設では，事故防止のために，配食前に1人分を施設長または主任保育士が食し，異物混入などの異常がないか確認しなければならない．これを検食という．
- ▶ 万が一，食中毒が発生した場合は，原因究明のために給食の食材料および調理後の料理を調べることが食品衛生法によって定められている．このため，原材料ごとと調理後の料理ごとに50g程度ずつ，清潔な容器に入れて，−20℃以下の専用冷凍庫で2週間以上保存することとなっている．これを保存食という．

[*2] ノロウイルスの危険性が高い食品（二枚貝など）は85℃で90秒以上（大量調理マニュアル）．

◉ 配膳から喫食まで

- ▶給食を提供している施設は，栄養士・調理従事者が調理室内で調理し，1人分ずつ盛りつけられた給食を各保育室に運び，配膳する．
- ▶子どもが衛生的な環境で安心して楽しく食事ができるように，食卓テーブルや椅子などを清潔にしたうえで，食事を開始する．

保育者の健康管理

- 栄養士，調理従事者はもちろんのこと，保育士ら乳幼児に接する者は，自らの健康管理に気をつけなければならない．自らが感染症や食中毒の原因にならないように衛生的な生活環境を確保するとともに，体調に留意し，健康な状態を保つように努める．
- 下痢や嘔吐などの症状が出た場合には，作業に従事するのを中止して，ただちに医療機関を受診する．感染の有無を確認し，結果を施設長に報告する．

調理実習（体験）やお祭りなどにおける衛生管理の留意点[*3]

- 保育室を使った調理実習（体験）や園庭でのお祭りなどで食べ物を提供するときは次の2点に注意する．
   - ▶刺身，寿司といった生もの，生クリームは扱わない[*4]．
   - ▶原材料を切るなど，準備は調理室内で行い，その場では行わない．
- 手洗い場所を確保し，常に清潔にしておく．
- 調理の際は，エプロン，帽子，マスクを着用し，手洗いはこまめに行う．
- 体調が悪い子どもには無理をさせない．
- 食物アレルギー児が調理する場合，アレルゲンとなる食品は扱わないようにする．可能であれば代替食を用意し，誤食が起きないように注意する．

冷凍母乳の取り扱い

- 入園後も母乳を与えたいという希望があり，母親から冷凍母乳持参の申し出があった場合は，日々の受け入れで対応する．
- 冷凍母乳は直接授乳とは異なり，搾乳→凍結→保存→解凍→加温→授乳，という多くの過程を経るため，保護者に対して衛生面，健康管理など十分に周知し，連携を取りながら進める．衛生的で新鮮な母乳をできるだけそのままの状態で乳児に与えることができるように，手順，注意事項を守って持参するよう，母親に指導する．

[*3] 地域のお祭りなどにおける食品衛生について（東京都福祉保健局）．

[*4] これらの食材料は温度管理がしにくく，腐敗しやすいため，保健所の指導により禁止されている．

冷凍母乳
→ p.50, 65

◉冷凍母乳の保管と解凍

▶母乳は搾乳後すみやかに冷凍し，冷凍後1週間以内のものを原則として受け入れる．

▶保冷剤や保冷箱を使用するなど，溶けないように持参してもらい，溶けている場合は受け取らない．

▶受け取る際には，名前・搾乳日時・量・冷凍状態を確認し，専用の冷凍庫（－15℃以下）で保管する．専用の冷凍庫がない場合は，他の食品に直接ふれないように，専用の容器かビニール袋に入れて保管する．

▶授乳時間にあわせて解凍する．

▶母乳は飲む子どもの母親のものであることを確認する．病気感染予防のため，間違いのないようにする．

▶解凍するときは，母乳パックのまま水につけ，数回水を取り替えながら解凍する．熱湯や電子レンジでの解凍はしない．

▶一度解凍したものは再冷凍しない．飲み残しは捨てること．

▶解凍した母乳を40℃程度の湯せんで加温する．温度が低すぎたり，高すぎると飲まないことがあるので，注意が必要である．体温に近い温度が適当である．

▶成分が分離しやすいので，ゆっくりとふり混ぜ合わせてから与える．

▶解凍した母乳は，母乳パックの下の切り込み部分を引き裂いて，哺乳瓶にそそぐ（最近は，母乳パックに直接乳首をつけて飲ませるものも販売されているので，活用してもよい）．

乳児用調製粉乳（育児用ミルク）の衛生管理

- WHO（世界保健機関）とFAO（国連食糧農業機関）は乳児用調製粉乳の衛生的取扱いについて，各国が取り組むべきガイドライン「乳児用調製粉乳の安全な調乳，保存および取扱いに関するガイドラインについて」を作成した．近年，海外で乳児用調製粉乳に *enterobacter-sakazakii*（エンテロバクター・サカザキ）[*5] などの病原微生物による健康被害が発生したことによる．

- 厚生労働省はこれを受け，ガイドラインに沿って，以下の2項目の基準を作成し，調乳のポイントとして家庭をはじめ保育所などに普及啓発している．

  ▶70℃以上の湯を使用すること．

  ▶調乳後2時間を経過した乳は廃棄すること．

異物混入を防ぐには

- 異物とは，本来その食品には入っていてはいけないものをいう．昆虫やダニおよびその卵，幼虫やねずみの毛やフンなど動物性の異物や，土やガラス片，釘や針金などの金属片などの鉱物性の異物もある．植物性の異物としては，わら，糸く

＊5
サカザキ菌
乳児が感染すると，腸炎，髄膜炎をひきおこし，20～50%は死亡すると報告されている．救命できても，強い脳障害を残す．70℃以上の加熱で死滅する．サカザキ菌は腸内細菌の研究者である坂崎利一の名に由来．

ず，包装紙片があり，このような異物が食品に混入した状態を異物混入という．

- 混入を防ぐためには，調理室などの施設設備を常に衛生的な状態に保ち，昆虫やねずみの侵入を防ぎ，こまめに掃除をするなど，日常の整理整頓に努めなければならない．調理や食事準備段階でも衛生的な服装で対応する必要がある．
- 野菜・果物はよく洗い，調理中もたわしなどの金属片が入らないように注意する．

感染症・食中毒が起こったら

- 保育所内で感染症や食中毒が発生した場合や疑われる状況が発生した場合は，園児の健康を守るために，迅速に冷静に適切な対応をとることが重要である．発生時に備えマニュアルを作成し，担当者ごとの役割を明確にしておく．
- 集団生活の場では日頃から園での健康状態だけでなく，家庭での健康状態の把握に努め，必要に応じて保護者に助言や情報提供を行う必要がある．下痢や嘔吐などが理由で欠席者が増加し，感染症や食中毒の疑いが出たとき，個人で判断できない場合は園医や最寄りの保健所にすぐに相談する．❶に大まかな対応手順を示す．

❶ 対応手順

1　発生状況の把握と記録の確認
●いつから，どのくらいの人数が発生したか，集中したクラスはないかなどの発生状況を確認する．園児・職員の健康状態(症状の有無，どんな症状か)を日時，クラス単位にまとめる．
●受診した場合は，診断名，検査・治療内容などを記録する．
2　感染拡大の防止
●職員全員で情報を共有し，便などの排泄物や嘔吐物の適切な処理，手洗いを徹底する．感染症と確定していない場合も予防対策をとることが必要である．
●給食が原因と疑われる場合には，一時給食提供を休止することがある．
●給食献立表や保存食，検査簿など発生前の資料も含めて用意し，保健所から求められたらすぐに提出できるようにしておく．
3　園医への相談
●保育所職員だけでは判断に迷うこともある．園医に相談し，適切な指示をもらい感染拡大を防ぐ．
4　保護者への情報提供・指導
●保護者には集団発生の可能性について説明し，症状が改善するまでは登園は中止してもらい，主治医の診断結果を随時報告してもらう．その状況や経過を記録して，発生動向を把握する．
●家庭における手洗いの遂行やタオルなどは共用しないこと，食品は十分加熱し消化のよいものにするなど，食事上の注意および十分な睡眠などの生活指導をしながらようすをみる．
●情報提供は，連絡帳やお迎え時の報告だけでなく，必要に応じて文書による報告や保護者会を実施する．
5　行政(保健所および市町村役所保育担当課)への報告
●保健所に相談する際は，健康管理調査票や食事調査の結果があると判断しやすい．記録をつけることは非常に重要である．
●複数の患者が発生したら，市町村役所保育担当課へ連絡する．
6　職員間における連絡体制の確保
●普段から連絡体制を整備しておくことが重要であり，関係機関への連絡もすぐにとれるように準備しておく．
●感染症などはいつ発生するかわからない．勤務時間内の場合と時間外の場合の連絡体制を整備する必要がある．

第6章 食の安全

日本の食に欠かせない大豆

日本の伝統食品には大豆を加工したものが多くある．仏教の信仰が盛んになった鎌倉時代には肉食が禁止されたこともあり，貴重なたんぱく源として大豆を用いた食品が普及していったといわれる．現代の食卓にも欠かせない食品のルーツを知っておこう．

味噌

成り立ち：古代中国の塩蔵発酵食品である「醤（ひしお・ジャン）」がルーツといわれている．奈良時代の文献には「未醤」という言葉が残されており，これは「未だ醤になっていない」ものを指すといわれ，豆の粒が残った状態のもの，つまり味噌の原型を示している．現在のような調味料として扱われるようになったのは江戸時代からで，それ以前は保存食としての役割を果たしていた．

製法：穀類を蒸して潰したものに，塩を混ぜた麹を加えて発酵・熟成させる．原材料は米，麦，大豆などがある．赤味噌は塩分濃度が高く熟成期間が長く，白味噌は塩分濃度が低く熟成期間が短いのが特徴．

醤油

成り立ち：醤油という文字に見られるように，味噌と同じく中国の「醤」に由来するといわれている．製塩が始まったとされる弥生時代には，魚を使った「魚醤」などが作られていた．鎌倉時代，ある僧が中国から持ち帰った製法を元に味噌を作ったところ，水分が多かったため，上澄みが出てしまった．それが「たまり醤油」の原型といわれている．

製法：原材料は大豆，小麦，塩など．蒸した大豆と炒った小麦に種麹を加え，麹をつくる．それに食塩水を加え「諸味（もろみ）」をつくり，熟成させたものが「生醤油（きじょうゆ）」となる．この製法は本醸造方式と呼ばれる．うすくち，こいくちは色の濃さの違いで，塩味の濃さを指したものではない．

大豆

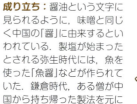

豆腐

成り立ち：諸説あるが，奈良時代に遣唐使として中国に渡った僧が日本に伝えたとされている．中国では「腐」という文字は「柔らかく弾力のあるもの」を指す．日本で庶民の食卓に上がるようになったのは江戸時代の中頃といわれている．

製法：水にひたして柔らかくした大豆をすり潰し「呉（ご）」と呼ばれる状態にする．この呉を炊き上げ，布で濾して「豆乳」にする．豆乳に「にがり」などの凝固剤を加えて成型する．絹ごし豆腐は濃い目の豆乳に凝固剤を加えてそのまま固めたもの．もめん豆腐は一度固めた豆乳をくずして再び固めたもの．

納豆

成り立ち：納豆には一般的な「糸引き納豆」と糸を引かない「寺納豆」がある．寺納豆は奈良時代に大陸から伝わったとされている．糸引き納豆は，鎌倉時代のある武将が藁の上に落ちていた煮大豆を食べたところ，上手く発酵していたという説をはじめ，各地に納豆発祥の説話がある．

製法：大豆に水を吸わせた後，蒸して柔らかくする．それを藁苞（わらづと）で包み，温度を40℃ほどに保ち，24時間程度すると，藁に付いている納豆菌が増殖・発酵をし，糸引き納豆ができる．現代では藁ではなく納豆菌を散布する製法が一般的である．

第7章

特別な配慮を要する子どもの食と栄養

第7章 | 特別な配慮を要する子どもの食と栄養

section 1 食物アレルギー

アレルギー疾患とは

- 本来,免疫反応は体を守るために備わっている機能で,病原体やほこりなどが侵入するとそれを外に排除したり,病原体を殺すために働く.しかし,免疫反応が過敏に起こり(アレルギー反応),生活に支障をきたす症状が現れた場合をアレルギー疾患[*1]という.
- 食物アレルギーとは,特定の食べ物[*2]を食べた後にアレルギー反応を介して,皮膚,粘膜,消化器,呼吸器あるいは全身に症状が出ることをいう.
- アレルギーを起こす原因物質をアレルゲンという.食物アレルギーの原因は主に食品中のたんぱく質である.アレルゲンが消化管から吸収されると,血液中にアレルゲンに対する抗体(特異的IgE)が作られる.血液中に抗体ができている人が,再び同じ食品を食べ,アレルゲンが血液に入ると抗体と結合して,アレルギー反応が出現する.したがって,初めて食べた物でアレルギーが起こることはない.
- 食物アレルギーの有病率は1歳で最も高く,年齢が高くなるにつれ減少する(❶).すなわち,多くのアレルギー児も年齢を重ねると,アレルギーの原因となる食品を摂取できるようになる.これを耐性(食べられるようになること)がつくという.卵アレルギー児の約50%は5歳までに卵の摂取が可能になり,牛乳アレルギー児の約50%は3歳までに牛乳の摂取が可能になる.
- 年齢により食物アレルギーのアレルゲンの種類は異なる(❷).乳児では,鶏卵と牛乳が多い.

[*1] 食物アレルギー,アトピー性皮膚炎,気管支喘息,アレルギー性結膜炎など.

[*2] アレルギーの原因となる食品は,原材料として使用したときだけでなく,原材料を作るときに使用したときも表示することとなっている.
アレルギー表示義務食品:えび,かに,小麦,そば,卵,乳,落花生(7品目)
アレルギー表示推奨食品:アーモンド(2019年に追加),あわび,いか,いくら,オレンジ,カシューナッツ,キウイフルーツ,牛肉,くるみ,ごま,さけ,さば,大豆,鶏肉,バナナ,豚肉,まつたけ,もも,やまいも,りんご,ゼラチン(21品目)

❶ 食物アレルギーの年齢別有病率

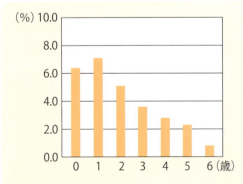

1歳児が7.1%で最も高く,その後年齢が高くなると減少する.

(厚生労働省.保育所におけるアレルギー対応ガイドライン.2019.)

❷ 保育所における食物アレルギーの原因食

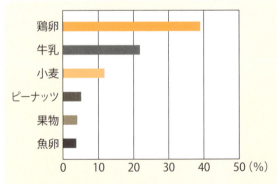

原因食では鶏卵が39%と最も多く,以下,牛乳21.8%,小麦11.7%と続く.

(厚生労働省.保育所におけるアレルギー対応ガイドライン.2019.)

I 食物アレルギー

❸ 食物アレルギーの症状

皮膚，粘膜症状	・かゆみ，じんま疹，湿疹，発赤，部分的なむくみ（唇など），目の充血，涙.
消化器症状	・吐き気，腹痛，嘔吐，下痢.
上気道症状	・くしゃみ，鼻水，のどの粘膜のかゆみ.
下気道症状	・咳，喘鳴（ゼーゼー），呼吸困難.
全身症状	・脈が速くなり，血圧が下がる．ぐったりする．意識が低下する. ・全身症状が出現することをアナフィラキシーショックといい，ただちに対応 　しないと生命にかかわる. ・食物アレルギー患者の約 10%はアナフィラキシーショックを発症している.

- 食物アレルギーの症状を❸に示す.

食物アレルギー疾患への対応

- 食物アレルギーの診断は，アレルギーに詳しい医師により診断してもらう必要がある．医師に「食物アレルギー生活管理指導表」を作成してもらう.
- 保育所内でアレルギー対策の体制を整え，緊急時を含めて，マニュアルを作成しておく.
- 食物アレルゲンが明らかな場合は，アレルゲンの除去食を提供する．除去食提供

> **考えてみよう**
>
> 給食の際，牛乳が飲めない子どもがいる．アレルギーという病気を子どもたちにわかりやすく説明する方法を考えてみよう.

> 子どもの食物アレルギー予防のために，妊娠中の母親の食事で特定の食品を制限したり，サプリメントを摂取することや牛乳アレルギー用のミルクを与えても効果はない（厚生労働省．授乳・離乳の支援ガイド 2019 年改定版）

知っておこう！
Notice!

食物アレルギーの子どもへの具体的な声掛けの事例

多くの子どもは，自分が食べられないものがあることを理解し，受け入れている．「自分はみんなと同じものが食べられないの？」といった疑問はそう多くなく，むしろ以下の場面で「この食べ物は食べていいの，悪いの？」といった質問を子どもからされることが多い.

1　新しいメニューが出たとき

新しいメニューが出たときに子どもから「これ食べていいの？」と質問されることがある．保育者は「お母さんと相談してあるから，これなら食べられるから大丈夫だよ」と伝える.

2　制限を解除するとき

事前に保護者と確認し合って制限を解除できることになっても，子どもは「これ，食べていいの？」と不安そうに質問してくる．そのような場合は，保護者から子どもに「今度から○○は食べてもいいよ」と伝えておくと安心する場合が多い．再度，保育所で子どもから質問があった場合は，「お母さんがいいと言っていたから大丈夫だよ」と伝えるようにする．そうすると子どもも安心して食べる.

3　行事食を出すとき

見た目が他の子どもと違って同じものを欲した際は，「これ食べるとかゆくなったり，じんましんが出たりして大変だから，今は食べないようにしようね．体が大きくなったらいろんなものが食べられるようになるからね」と励ますようにする.

いずれにしても子どもには，まずは家庭で保護者から伝えることが大切であり，保育所と保護者との連携が重要であるといえる.

137

*3
「保育所におけるアレルギー対応ガイドライン」（厚生労働省）は2019年に改訂された．初版は2011年発表．
https://www.mhlw.go.jp/content/000511242.pdf

の原則は必要最小限の除去で，どれくらいの除去が必要かは医師の指示に従う．保護者と綿密に連携し，園内職員で共通理解をもつ[*3]．
- 調理から配膳，後片付けまで，対象児がアレルゲンに接触しないように気をつける．
- 除去食を提供する場合は，栄養が不足しないように，代替食を考える．ほかの子どもと楽しく食べることができるように配慮する．
- 年齢が高くなるにつれ，アレルゲンが食べられようになる子どもが多くなる（→p.136）．除去食の継続について検討するためにも，「食物アレルギー生活管理指導表」は最低でも年に1回は提出してもらう．
- アレルギーを抑える薬としては，抗ヒスタミン薬やステロイド薬がある．
- 緊急時（アナフィラキシーショックなど）の対応を保護者と共通理解し，全身症状が出現すれば，すぐに保護者と医師に連絡し，すみやかに医療機関に搬送する．
- エピペン®はアドレナリンの注射で，アナフィラキシーショックの治療薬である．アドレナリンは，人間の副腎皮質から分泌されているホルモンで，心臓の働きを強めたり，血圧を上げる作用がある．本来は，本人や保護者が自己注射するものであるが，保育所でアナフィラキシーショックに陥った場合は職員が「エピペン®」を使用してもよい[*4]．ただし，その後，速やかに医療機関に搬送する．
- 保育所職員は，事前にエピペン®の使用方法を含めて食物アレルギー対応について研修を受けておく．

*4
学校・園の教職員は，人命救助の観点から必要な行為と認められれば，エピペン®を使用しても責任はとわれない．

知っておこう！ Notice! 一般向けエピペン®の適応（日本小児アレルギー学会 2013年7月発表）

エピペン®が処方されている患者でアナフィラキシーショックを疑う場合，下記の症状が1つでもあれば使用すべきである．
① **消化器症状**：繰り返し吐き続ける，持続する強い（我慢できない）おなかの痛み
② **呼吸器症状**：のどや胸が締め付けられる，声がかすれる，犬が吠えるような咳，持続する強い咳込み，ぜーぜーする呼吸，息がしにくい
③ **全身症状**：唇や爪が青白い，脈を触れにくい・不規則，意識がもうろうとしている，ぐったりしている，尿や便を漏らす

エピペン®の使い方
- エピペン®を太ももの前外側に垂直になるようにし，オレンジ色のニードルカバーの先端を「カチッ」と音がするまで強く押し付ける．
- 太ももに押し付けたまま数秒間待つ．

®は登録商標を表す記号で，これが製品名についている場合は，登録された商品名であることを示している．

section 2 鉄欠乏性貧血

貧血の判定

- 顔色が青白い,疲れやすい,といった特徴がみられることがある.血液検査により診断される.
- 貧血はヘモグロビン(Hb)値で診断される.生後6か月～5歳未満は11mg/dL以下,5～11歳は11.5g/dL以下の場合,貧血とされる.
  - ▶乳児では9か月ごろ以降に鉄欠乏性貧血になりやすい.
  - ▶母乳栄養児で離乳食がすすまない場合になりやすい.
  - ▶未熟児は乳児期に貧血になりやすい.
  - ▶幼児は極端な偏食から貧血になりやすい.

予防・改善のための対応

- 改善するためには鉄を多く含む食品を取り入れる必要がある.
- 鉄には,動物性食物に多く含まれるヘム鉄と,野菜や穀類などに含まれる非ヘム鉄がある.
- 非ヘム鉄は,ヘム鉄と比べると吸収率が低いが,ビタミンCなどを含む食物と一緒に摂取すると吸収率が上がるので,組み合わせを工夫する(❶).
- 鉄を多く含むフォローアップミルクを9か月以降に利用する(❷).

❶ ヘム鉄,非ヘム鉄,ビタミンC含用量の多い食物

ヘム鉄の多い食物	肉,レバー,赤身魚(イワシ,カツオ),牡蠣
非ヘム鉄の多い食物	ほうれん草,小松菜,ブロッコリー,青のり,大豆・大豆製品(がんもどき)
ビタミンCの多い食物	ピーマン,ブロッコリー,モロヘイヤ,柿,キウイフルーツ,イチゴ,さつまいも,じゃがいも

❷ 母乳,乳児用調製粉乳,フォローアップミルク,牛乳の比較 (100mL)

	たんぱく質(g)	脂質(g)	カルシウム(mg)	鉄(mg)
母乳[*1]	1.1	3.5	27	0.04
乳児用調製粉乳	1.43～1.60	3.51～3.61	44～51	0.78～0.99
フォローアップミルク	1.96～2.11	2.52～2.95	87～101	1.13～1.34
牛乳[*1]	3.3	3.8	110	0.02

[*1]:文部科学省.日本食品標準成分表2020年版(八訂)

♪**鉄欠乏性貧血の症状**

食欲低下,元気がない,学習障害,異食症(土や毛を食べたり,氷を好む),スプーン爪,しみて痛みを伴う舌炎など.

♪**スプーン爪**

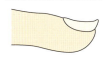

爪が反り返った様になっている.

考えてみよう

鉄,ビタミンCを多く含む食物から,幼児の献立を考えてみよう.

第7章 | 特別な配慮を要する子どもの食と栄養

section 3 糖尿病

*1
インスリンは膵臓から血液中に分泌され，血液中の糖（血糖）を全身の細胞に輸送し，血糖を下げる働きがある．

- 糖尿病とはインスリン*1が欠乏し慢性的な高血糖になった状態である．
- 糖尿病には1型糖尿病と2型糖尿病があり，発症原因はまったく異なる．
- 1型糖尿病は，インスリンを分泌する細胞（膵臓のβ細胞）の破壊により，インスリンが分泌されなくなる疾患である．自己免疫疾患の1つと考えられており，遺伝はなく，肥満・運動不足などが原因でもない．治療にはインスリン注射*2が必須である．食事は同年齢の摂取基準で，運動も可能である．2005年にプロ野球の阪神タイガースに入団した岩田稔投手は高校2年生で1型糖尿病を発症したが，インスリンを打ちながらも活躍した（2021年引退）．
- 2型糖尿病とは，いわゆる生活習慣病による糖尿病で，遺伝因子と環境因子が関与する．2型糖尿病の約70％は肥満である．治療の中心は，食事療法と運動療法である．食事療法の基本は，肥満があれば，エネルギー摂取を同年齢の摂取基準の90〜95％に制限して，バランスのよい食事を提供することで肥満を改善させる．運動も推奨する．薬物を使用する場合もある．
- 1型，2型ともに，主治医に「学校生活管理指導表」を記載してもらい，運動や食事での注意，薬剤投与を理解することが大切である
- 1型，2型ともに，高血糖が続き，血糖のコントロールが悪いと合併症（目や腎臓の障害，感染症に弱くなるなど）が発症する．

*2
日に2〜4回の皮下注射が必要となる．場合によっては，指先で血糖を測定することもある．
写真は，自身で簡易血糖測定器を用いて測定している様子．

1型糖尿病
（インスリンを注射している様子）

2型糖尿病

140

section 4 発熱

- 小児では，脇の下の温度が 37.5℃ 以上の場合を発熱があると考える．平熱は子どもによって多少違うので，前もって把握しておく[*1]．
- 原因は，感染症，脱水，高温環境（夏季熱，熱射病など），薬剤アレルギー，予防接種の副反応，脳炎・脳症，膠原病，悪性腫瘍などさまざまである．高すぎる室温，衣服の着せすぎ，激しい運動も体温が上昇する原因になる．
- 発熱がみられたら，全身状態（機嫌，顔色，表情，食欲など）を観察する．全身状態がよければ，重篤である可能性は少なく，心配ない．ぐったりして元気がなく，顔色が悪いときは，すみやかに医療機関を受診する．

発熱時の対応

- 部屋を涼しくして換気の回数を多くし，できるだけ安静にする．
- 薄着にする．ただし，手足が冷たいときは，手足を温める．熱が上昇し，体が熱くなれば，薄着にする．
- 額，脇の下，鼠径部（足の付け根）を市販の冷却用品またはタオルに包んだ氷のうで冷やす．患児が嫌がるときは無理強いしない．
  - ▶ 体温が下がりすぎる場合もあるので，30 分〜 1 時間ごとに体温を測定する．
- 発熱のときは，汗などの不感蒸泄が増加する[*2]．脱水症の予防に，湯冷まし，麦茶，野菜スープ，乳幼児用イオン飲料水などを少量ずつ頻回（2 〜 3 時間ごと）に与える．
- 乳児では母乳や育児用ミルクをいつも通りにほしいだけ与える．幼児では，果汁，野菜スープ，果肉をつぶしたものなどを与えてビタミンを補給するとよい．
- 食欲がない場合は，水分補給を優先し，食事を強制しない．食欲があれば，水分の多い消化のよい食品を与える．水分の多いプリン，ゼリー，ヨーグルトなどは舌ざわりもよく食べやすい（❶）．
- 高熱（一般に 38.5℃ 以上）で不機嫌，不眠などがある場合は，解熱剤を使用してもよい．解熱剤は量が多すぎると，低体温になるので注意が必要である．

❶ 発熱時に勧められる食品

果物ジュース　野菜ジュース　おかゆ　ヨーグルト　プリン　ゼリー

体温の測り方
→ p.142

[*1]
正常体温（脇の下）
- 乳児 36.3〜37.3℃
- 幼児 36.5〜37.4℃
- 学童 36.5〜37.3℃

[*2]
体温が 1℃ 上がるごとに不感蒸泄は約 10% 増加する．

イオン飲料水
→ p.145

第 7 章 | 特別な配慮を要する子どもの食と栄養

section 5 体調不良

> **調べてみよう**
>
> 令和 2（2020）年 4 月，厚生労働省により"病児保育事業の実施について"の改定がなされている．その内容について調べてみよう．

- "体調不良児"とは，保育所に登園しており，保育中に微熱を出すなどの体調不良となった児童で，保護者が迎えに来るまでの間，緊急的な対応（❶）を必要とする児童である．
  - ▶ 保護者が園に子どもを預けに来たときに，食欲低下，咳など体調不良を訴える場合も多い．
- 症状としては，発熱，嘔吐，咳，腹痛，食欲がない，元気がない，ぐずる，泣きやまない，ぐったりしているなどである．
  - ▶ 多くはウイルス性感染症が原因である．
- 前述の症状がみられた場合，家庭での前日および当日朝の様子を連絡帳で再確認する．
- 全身状態[*1]を観察して，看護師と相談し，様子をみるか，保護者や医師に連絡するかを決める．
  - ▶ 保育継続の基準を設けている保育所が多い．
  - ▶ 看護師が配属されていない保育所も多い．2011 年度の日本保育園保健協議会の全国調査では，看護師が配属されている保育園は 29.8% であった．看護師が配属されていない保育所では，子どもの状態に応じて，保護者に連絡するとともに，適宜，園医や子どものかかりつけ医と相談し，適切な対応を行う．
- 別室で安静にさせ，観察するのが望ましい．

[*1] 体温（❷），呼吸状態，顔色，元気さ，食欲，発疹の有無など．

❷ 体温の測り方

わきの下の汗をふいてから，抱っこして測る．

❶ 主な体調不良児への対応

	一般的な対応	食事の注意
発熱	p.141 参照	p.141 参照
嘔吐・下痢	p.144 参照	p.145 参照
腹痛	● 原因は，便秘，急性胃腸炎，急性虫垂炎，尿路感染症，食物アレルギー，心因性腹痛などさまざまである． ● 腹痛の程度，体温，下痢・嘔吐や便秘の有無を確認する．腹痛が強い，繰り返し嘔吐する，熱がある，腹部が張っているなどの場合は，保護者に連絡し，医療機関を受診する．腹痛も軽度で，全身状態が良好な場合は，様子をみてもよい． ● 便秘の場合（3日以上排便がない）は，浣腸を試みてもよい．	● 他の症状により対応が異なる． ● 嘔吐もしくは吐き気がある場合は食事は与えず，まずは水分を与える．嘔吐，吐き気，腹痛の悪化がなければ，乳児では母乳や育児用ミルク，幼児では消化のよい食品を与える． ● 下痢がある場合は，p.145 を参照． ● 便秘の場合は，水分を十分与える．マルツエキス（麦芽糖とデキストリンを含む糖）を白湯（さゆ）に溶かして与える． ● 幼児の場合は，食物繊維の多い野菜類，きのこ類，果実，海藻，いも類，コーンフレーク，豆類などを与える．プルーンや乳酸菌の多いヨーグルトも便秘に効果的である．
食欲がない	● 原因の多くは上気道炎に伴う急性ウイルス感染症．便秘も食欲低下の原因になる． ● 発熱，吐き気や嘔吐，下痢，便秘，腹痛，頭痛などの有無を確かめ，程度が強ければ保護者に連絡し，医療機関を受診する． ● 慢性的に食欲がない（小食）場合は p.150 を参照．	● 食事を強制しない． ● 麦茶，乳幼児用イオン飲料水[*2]，野菜スープなどで水分を補給し，消化のよい食品を与える． ● 子どもの好きなものを与えてもよい．
咳・鼻汁	● 原因の多くはウイルス感染による上気道炎である．鼻汁が膿様，のどを強く痛がる，高熱，ぐったりしているなどがある場合は，細菌感染の可能性があるので，医療機関を受診させる． ● ウイルス性上気道感染症では，下痢，嘔吐，食欲低下がみられることも多い．	● 鼻汁や痰で水分が失われるので，水分を十分与える．脱水傾向になると，痰の粘稠度が強くなり，痰を出しにくくなる．咳が治まったときに，麦茶，乳幼児用イオン飲料水など，子どもが飲みやすいものを与える． ● 冷たい飲み物，アイス，かんきつ類，酸味の強いものはのどを刺激するので避ける．
口内炎	● 医療機関を受診させ，適切な対応をしてもらう． ● アフタ性口内炎は口腔内にできる潰瘍で，痛みが強く，発熱することも多い． ● 鵞口瘡（がこうそう）はカンジダの口腔内感染症で，口腔内に白色の菌苔が付着する．痛みはないが，食欲低下を招くことがある．	● 食欲が低下するので，脱水にならないように水分を補給する． ● アフタ性口内炎の場合は，食べ物が熱くても冷たくても刺激するので，体温程度の熱さにする．舌ざわりがよく，飲み込みやすいプリン，ヨーグルト，ゼリーなどを与える．ビタミンCやB類の補給に野菜ジュース，果汁などを与える． ● 軟らかく，薄味にする．酸味や塩味の強いものはしみるので避ける．

🔍 消化のよい食品

→ p.145

🔍 イオン飲料水

→ p.145

*2

糖分を含む乳幼児用イオン飲料水の与えすぎで，ビタミンB_1欠乏による脚気，脳症の報告がある．糖質が代謝されるときにビタミンB_1が使われるためである（p.33）．与えすぎない注意も必要．

第 7 章｜特別な配慮を要する子どもの食と栄養

section 6　急性胃腸炎

感染症と食中毒の違い
→ p.118

ウイルスと細菌性感染の違い
→ p.118

ボツリヌス菌
→ p.122

- 下痢は便の硬さの減少，または 1 日に 3 回以上の便回数の増加と定義される．
- 主な原因は腸感染で，70％はウイルス性，15％は細菌性で，発熱や嘔吐を伴うことが多い．
  ▶ ウイルス性は嘔吐や呼吸器症状を伴うことが多い（❶）．
  ▶ 細菌性は食中毒ともいわれ，高熱，血便，腹痛を伴うことが多い（❷）．細菌性のなかではカンピロバクターが最も多い．細菌性が疑われた場合は，ただちに医療機関を受診するように保護者に勧める．
- 1 歳未満の乳児は乳児ボツリヌス症を起こすおそれがあるため，はちみつを与えてはならない．
  ▶ 主にはちみつに存在するボツリヌス菌芽胞を摂取することで発症する．
  ▶ 摂取後 3 〜 30 日で発症する．症状は便秘，哺乳力低下，首のすわりが悪くなる，眼瞼下垂，眼球運動マヒ，よだれ過多，呼吸困難，無呼吸など重篤な

❶ 主なウイルス性胃腸炎の原因ウイルスと特徴

ロタウイルス	・白色下痢便で，冬に多い．下痢は程度がひどく，約 10％ の罹患児は入院治療が必要になる．けいれんを起こすこともある． ・潜伏期間は 48 〜 72 時間．近年，ロタウイルスワクチンが開発された．迅速診断キットが市販されている．
ノロウイルス	・集団感染を起こす．吐物や下痢便を介して感染が広がる．ウイルスを取り込んだ牡蠣やシジミなどの 2 枚貝を生または不十分な加熱処理で食べた場合に発症する．感染力はきわめて強く，環境中でも比較的安定である． ・ロタウイルスより軽症で，回復も早い．潜伏期間は 18 〜 48 時間．迅速診断キットが市販されている．
腸管アデノウイルス	・アデノウイルスは非常に多くの型があり，型により症状が異なる．咽頭結膜炎（プール熱），出血性膀胱炎もアデノウイルスによるものである． ・腸管アデノウイルスによる下痢は，一般にロタウイルスより程度は軽い．潜伏期間は 3 〜 10 日．迅速診断キットが市販されている．
呼吸器感染症に伴う胃腸炎	・RS ウイルスやインフルエンザウイルスも下痢を起こす．

❷ 主な細菌性胃腸炎の原因菌と特徴

原因菌	毒素	誘因食物	潜伏期間
サルモネラ	エンテロトキシン	生の鶏卵，食肉	8 〜 72 時間
黄色ブドウ球菌	エンテロトキシン	豚肉，菓子パン，卵，乳製品，おにぎり	2 〜 7 時間
腸管出血性大腸菌（O157 など）	ベロ毒素	牛肉（生レバー，ユッケなど）	3 〜 4 日
カンピロバクター	細胞膨化致死毒素	鶏肉，牛肉，豚肉	1 〜 7 日
ボツリヌス	ボツリヌス毒素	はちみつ，からしレンコン	8 〜 36 時間
ビブリオ	溶血毒	生の魚介類	12 時間

症状を示す.

▶ 1歳を過ぎると正常な大腸菌叢が形成され，発症しなくなる.

- 感染症のほかに，食物アレルギー，過食なども下痢や嘔吐の原因になる.

急性胃腸炎への対応

- 医師から特に指示がないかぎり，母乳栄養児はそのまま母乳を続ける．乳児用調整粉乳(粉ミルク)は希釈する必要はなく，少量頻回に与える.
- 脱水にならないように，麦茶，乳幼児用イオン飲料水(❸)を与える.

▶ OS-1®がWHO推薦の経口補液の濃度に近い.

▶ 1回量の大まかな目安は，乳児では10～30mL，幼児では30～50mLを与えて，嘔吐・腹痛などがなければ，徐々に増やす.

▶ 初期は4時間ごとに体重(kg)×75mLが大まかな目安.

▶ 嘔吐があるときも，経口補液を少量頻回〔例えばティースプーン一杯(5mL)を目安に5分毎〕に与え，様子を見ながら徐々に増やす.

▶ 経口補液を嫌がるときは，ゼリータイプにする，温めるなどの工夫をするとよい.

▶ 離乳期：離乳食を中止する必要はない.

　　　　重湯，おかゆ，2～3倍に希釈したみそ汁の上澄みが推奨される.
　　　　リンゴのすりおろし，カボチャやニンジン煮つぶしなどもよい.
　　　　高脂肪の多い食事，糖分が多いジュース，清涼飲料水が避ける.

- 吐物や汚物で汚れた服などは，袋に入れて保管する．吐物で汚染されたところは消毒する．吐物や便の処理後，手洗いを十分行う.
- 下痢がひどいときや長引くとき(2週間以上)は，乳糖を含まないミルク(ノンラクト®など)や大豆乳(ボンラクトi®など)などの下痢治療乳が医師から指示される場合がある.
- 胆汁性嘔吐(緑色や黄色の吐物)の場合，外科的疾患も疑って医療機関を受診する.
- 脱水症状が強いとき，水分摂取が不十分なときは医療機関を受診する.

消化のよい食品

かゆ，脂肪の少ない魚（たい,あじ等),脂肪の少ない肉（鶏肉等),豆腐,きなこ,良質バター,軟らかく煮た野菜,すりおろしリンゴ,バナナ,カスタードプリン,ぼうろ,カステラなど（参考：児玉浩子ほか編.河島尚志．小児臨床栄養学　急性胃腸炎.東京；診断と治療社：2012.）.

❸ 経口補液のガイドラインと病者用・食品一般飲料の組成

	Na(mEq/L)	K(mEq/L)	Cl(mEq/L)	糖(g/L)
WHO推薦経口補液	75	20	65	13.5
ソリタ-T2®顆粒*	60	20	60	32
ソリタ-T3®顆粒*	35	20	30	34
OS-1®*	50	20	50	25
アクアライト®	30	20	25	50
アクアライト®ORS	35	20	30	40
ポカリスエット®	21	5	16.5	67
オレンジジュース	0.4	26		119

＊：マグネシウム，リンも少量含まれている.
®は登録商標を表す記号で，これが製品名についている場合は，登録された商品名であることを示している.

第7章 特別な配慮を要する子どもの食と栄養

section 7 便秘

便秘の判定

- 5日以上便通がない，便通が不規則，排便時にいきんでも出ない，排便時に痛みや出血がある．
    - ▶ 食事量，哺乳量の不足がないか確認する．体重増加不良の場合は量の不足を考える．
    - ▶ ハイハイができるようになって以降の全身運動の不足を確認する．
    - ▶ 不規則な生活リズムで，排便反射が失われていることがある．
    - ▶ 排便時に痛みを感じると，いきむことが怖いと思う心理的な要素も影響する．

予防・改善のための対応

*1

♪ **食物繊維**
→ p.40

*2
麦芽糖の発酵作用で便を適度な軟らかさにする効果がある．

- 乳児はお腹の「のの字」マッサージ*1 や体全体に刺激を加える．
- 綿棒の先にオイルをつけ，肛門に1cmくらい入れて2～3回まわす．
- 寝汗が多い場合は夜間の着せすぎを改める．
- 菓子，ジュースのとりすぎに気をつける．
- 食物繊維の多い食品を取り入れる．食物繊維には不溶性と水溶性がある．
    - ▶ 不溶性食物繊維は腸を刺激して便通を促進する特性がある．
    - ▶ 水溶性食物繊維は腸内での発酵性が高く，整腸効果が得られる．
- 便を軟らかくする効果があるヨーグルトや乳酸菌飲料などの発酵性食品を取り入れる．
- マルツエキス*2，100％果汁，オリゴ糖なども有効である．
- 医師の指導のもとで浣腸や下剤などを使う場合もある（クセになるものではない）．

生活習慣のポイント（幼児期）

・トイレに行きたくなったら我慢せずに行く．
・ゆとりのある時間にトイレに座る習慣をつける．
・規則正しい生活にする．
・早寝早起きを心がけ，朝食をゆっくりとれる生活にする．
・十分な運動を習慣づける．
・運動時にはこまめな水分摂取をこころがける．

食事内容で注意すべきこと

◉ 授乳期
- ▶ 母乳栄養児は母乳不足のことがあるので，母乳不足かどうかを確かめる（→ p.150）．
- ▶ 人工栄養児は白湯や麦茶などの水分補給を行う．
- ▶ 水分の多い100％果汁，ベビーフード果汁を1日30mL程度与える．

◉ 離乳食期，幼児食期
- ▶ 汁物など水分の多い食事，バターなどの油脂を使う食事，腸を刺激する食物繊維の多い食事などに効果がある．それぞれの献立を考えよう．

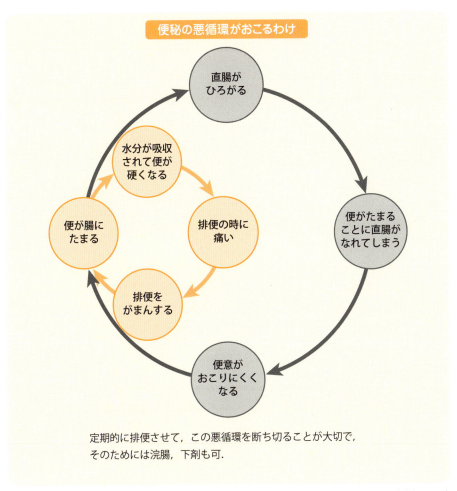

(小児慢性機能性便秘診療ガイドライン作成委員会. こどもの便秘—正しい知識で正しい治療を. 2013.)

第7章 | 特別な配慮を要する子どもの食と栄養

section 8 肥満

- 胎児期の低栄養は将来，肥満および生活習慣病になりやすい．
  - ▶ 母体内で栄養が不足した状態で，出生体重が 2,500 g 未満(低出生体重児)の場合は，栄養を蓄えようとする体質になりやすくなることから，生活習慣病のリスクが高くなることが報告されている[*1]．健康な子を産むためには妊娠中から適切な栄養を摂取することが大切である．
- 生活習慣の乱れには 0 歳でも注意が必要となる．
  - ▶ 夜食，だらだら食い，夜型の生活リズム，運動不足などの習慣は成長後も継続されることが多い．
- 肥満予防には，規則正しい生活，外遊びといった運動習慣が重要となる．それらに加えて，年齢とともにバランスのとれた正しい食習慣を身につけさせたい．

肥満の判定

- 母子健康手帳にある「幼児の身長体重曲線」に身長と体重を当てはめることにより，肥満・やせの程度を判定できる(❶)[*2]．
- 急速に体重が増えている場合には生活習慣を見直す．
- 肥満には単純性(原発性)と症候性(二次性)がある．ほとんどの肥満は単純性である．
  - ▶ 単純性肥満は，過食，運動不足などの生活習慣により肥満になった状態をいう．家族歴に糖尿病，心臓病，高血圧などがあれば，より生活改善の指導が重要となる．一般に身長も高い．
  - ▶ 症候性肥満は，肥満になりやすい特徴をもつ病気[*3]で肥満になった状態をいう．身長が低い，身長の伸びが悪くなっているのに体重は増加しているといった特徴をもつ．小児科を受診して，原因となっている病気の治療を行うように助言する．

肥満予防・改善のための対応

- 太り始めの時期には，生活面での変化を保護者に聞き(❷)，原因をともに考える．
- 保育所では体を使った楽しい遊びに誘う．
- 食事中は，よく噛むように声かけをする．
- 家庭に向けて食生活のアドバイスをする(❸)．
- 体重を 1 週～1 か月ごとに測定し，体重をなるべく増やさないように，経過をみる．

[*1]
DOHaD(ドハド)学説
英国の D. Barker により約 20 年前に提示された．「胎児期の低栄養により成人病(生活習慣病)の素因が形成され，生活習慣によっては生活習慣病が発症する」という成人病胎児期起源説が発展した考え方．

[*2]
肥満度の判定
$$\frac{実測体重(kg) - 標準体重(kg)}{標準体重(kg)} \times 100$$
注：標準体重(→ p.29)

[*3]
ターナー症候群，プラダー・ウィリ症候群，甲状腺機能低下症などで，見逃さないことが大切である．

❶ 幼児の身長体重曲線（平成22年調査）

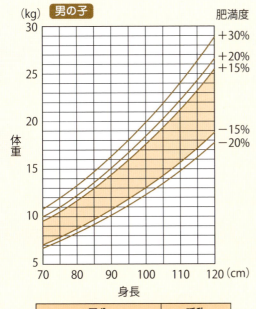

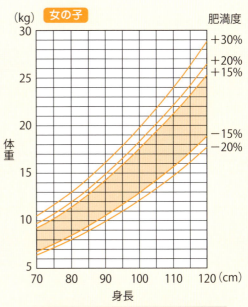

区分	呼称
①＋30%以上	ふとりすぎ
②＋20%以上＋30%未満	ややふとりすぎ
③＋15%以上＋20%未満	ふとりぎみ
④－15%超＋15%未満	ふつう
⑤－20%超－15%未満	やせ
⑥－20%以下	やせすぎ

区分	呼称
①＋30%以上	ふとりすぎ
②＋20%以上＋30%未満	ややふとりすぎ
③＋15%以上＋20%未満	ふとりぎみ
④－15%超＋15%未満	ふつう
⑤－20%超－15%未満	やせ
⑥－20%以下	やせすぎ

❷ 太り始めの主な原因

食事面の変化	運動面の変化	生活面の変化
● 早食い． ● 好きな肉ばかり食べる． ● 間食が増える． ● 野菜を残すようになる． ● 外食が増えた．	● ゲームばかりする． ● 家の中で動かない遊びばかりする． ● 外遊びが減る．	● 引越し． ● 下の子の出産． ● 祖父母にあずける． ● いじめにあう．

❸ 肥満予防・改善のための食事の要点

- 1日3食の生活リズムを整える．
- 栄養バランスのとれた献立にする．
- 大皿ではなく個別に盛り付ける．
- 薄味に慣れさせる．
- よく噛める献立にして，好き嫌いなく食べられるようにする．
- 間食は1日のエネルギー摂取量に対して10〜15%を目安とする．
- 夜8時以降に食事をとらない．
- 外食の回数を減らす．
- 甘い飲料を減らす．

BMIリバウンド

通常のBMIの年齢的変化は，1歳以降6歳頃まで徐々に減少し，その後増加する．この減少から増加に変化する時点をBMIリバウンドという．BMIリバウンドが早期に起こると将来肥満になるといわれている．たとえば3歳児健診でのBMIが18か月健診のBMIと同等または増加している場合には注意が必要である．

section 9 やせ

- 身長に比べて体重が少ない状態をいう．
- やせ型だと思っても身長と体重の成長曲線が正常のパターンであれば心配ない．

乳児期のやせ

◉ 主な原因
- **母乳不足**：1回の哺乳量が少ない．1回の授乳時間が20分以上かかる．1時間以内に欲しがる．母乳栄養では，1日平均の体重増加が25g未満の場合に母乳不足を疑う．
- **育児用ミルク不足**：1日の哺乳量が少ない．ミルクの調整に誤りがある．哺乳びん嫌い．
- **離乳食不足**：食物アレルギーが心配で品数が増やせない．無理に食べさせる．
- 何らかの病気が原因の場合もある．やせが著しい場合は小児科受診を勧める．

◉ 予防・改善のための対応
- 母乳マッサージなどで母乳分泌を促す．
- 母乳不足が改善しない場合は，育児用ミルクを足す．
- 離乳食が食べられるようになったら，適切な時期に開始する．
- 無理に食べさせようとせず子どもの食欲に合わせる．

幼児期のやせ

幼児期のやせの判定
→ p.6（カウプ指数）
→ p.149

◉ やせの判定
- カウプ指数がやせ以下で，体重曲線が下方にシフトしている場合．
- 体重が増えていても基準曲線に対して下向きになるか，過去の体重を下回る場合には小児科を受診するように助言する．
- やせは体質性と症候性に分類される．
    - **体質性やせ**：発達，生活習慣，食習慣に問題がなく健康障害はみられない．
    - **症候性やせ**：何らかの病気が原因で起こる．虐待やネグレクト，食物アレルギーなどの治療のための食事制限，思春期やせ症（神経性食欲不振症）などによるものがある．このような疑いがある場合は医療機関の受診をすすめる．

虐待によるやせ
「やせ」で骨折ややけどなどの既往があり，頭髪・体・衣服が清潔でない，などがみられる場合には，虐待も疑い，児童相談所に相談をする．見逃さない．早期に対応することが大切である．

◉ 予防・改善のための対応
- 食事を全部食べるように強制しない．
- 食べないからといって菓子やジュースを頻繁に与えない．
- 盛り付けは少なめにして，全部食べたらほめることで達成感をもたせる．
- 菜園での栽培・収穫，買い物，手伝いなど，食へのかかわりをもたせて関心を高める．
- 共食で楽しい食卓を心がける．

section 10　障がい児

- 障がい者[*1]とは，身体障害，知的障害，精神障害があるため，継続的に日常生活または社会生活に相当な制約を受ける者をいう(障害者基本法第2条).
- 障がい児には，生まれつき障害をもつ場合(先天性)と，病気や不慮の事故などで障害をもつ場合がある.
- 障害の種類は，発達障害，運動障害(脳性マヒ[*2]など)，肢体不自由，視力障害，聴力障害，言語発達障害などがあり，程度もさまざまである.
- 障がい児は，摂食障害，嚥下障害，誤嚥❶を起こしやすいといった特徴がみられ，栄養不良になりやすい．そのため感染症にかかりやすくなり，さらに状態が悪化することになる．このような状態に陥らないために栄養状態を良好に保つことは重要である.

食事時の対応

- エネルギー必要量は，障害の程度や質により異なる．医師や栄養士に推定エネルギー必要量を算出してもらう．食事の量が少ない場合は，ビタミン，ミネラル，食物繊維が不足しがちになる．これらの栄養素は，同性同年齢の健常児と同等を摂取するように心がける.
- 食べる姿勢：頭部の緊張を少なくし，頭を少し前傾させると食べやすくなる．介助する場合もリラックスした姿勢になるようにする(❷).
- 子どもの摂食機能に合った食品の調理形態を考え，発達段階に合わせて食形態(❸)を選択する．基本的には，離乳食の各段階が参考になる．それと同時にとろ

[*1] 現在，「障害者」は「障害者」「障がい者」「障碍者」などの表記が入り混じっています．「害」は「さまたげになるもの，わざわい」(広辞苑)の意味もあること，「当事者団体からの要望を受けた」ことなどの理由で「障害」を「障がい」と表記する自治体も増えていることから，本書では「障がい者」「障がい児」表記としました．

[*2] 胎児期から生後4週の間に，何らかの原因で脳が損傷し，運動機能の障害をきたす状態をさす．

❶ 誤嚥

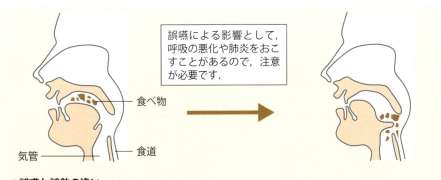

誤嚥による影響として，呼吸の悪化や肺炎をおこすことがあるので，注意が必要です．

◉ 誤嚥と誤飲の違い
誤嚥（ごえん）：食物やだ液，胃内容物が気道内に入ってしまうこと．
誤飲（ごいん）：主に異物(ボタンやタバコなど)を間違って食道や胃に飲み込んでしまうこと．

(神奈川県教育委員会．食事に関して支援の必要な子どもに対する食事指導ガイドブック —安全で楽しい食事のために— 2007.)

第7章 特別な配慮を要する子どもの食と栄養

介助

主治医などの専門職から医学的なケアの仕方を学び，根気よく関わる．介助は忍耐力と働きかけが大切なので保護者を励ましながら相互に接する．

食事

ダウン症候群の子どもは筋緊張の低さが丸飲みを招き，肥満傾向になることがある．
知的障がい児のなかには感覚過敏からの偏食，感覚鈍麻からの誤嚥が起こりやすい子どももいる．
自閉症の子どもは知覚過敏から強い偏食やこだわりが起こりやすい．

❷ 基本的な介助姿勢

食事姿勢の実際
右図のような介助は，子どもの緊張を直接体に感じることができ，むせたりした場合にすぐに対応できるなどのメリットがあるが，介助者への負担が大きいのでクッションや座椅子を利用するなどの工夫が必要となる．

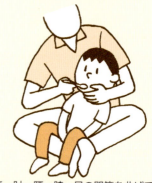

上体が反り返って手足が突っ張り，顎が上がっている姿勢．

肩，肘，腰，膝，足の関節を曲げて，全体が丸くなるような姿勢．

❸ 食物形態名称

	名称	食物の形態
やわらか食	ペースト食	マッシュ食を裏ごしする（粒なし）
	マッシュ食	やわらか食をミキサーにかける（粒あり）
	やわらか食	舌や歯ぐきで押しつぶせるやわらかさと大きさのもの
普通食	咀嚼訓練導入食	スティック状のスナック菓子など
	一口大	1cm大の煮野菜など
	普通食	

（医科歯科病診連携検討委員会北海道保健福祉部保健医療局健康推進課. 障害のある子どもたちのための摂食・嚥下障害対応ガイドブック 2008.）

❹ 食物調理の3要素

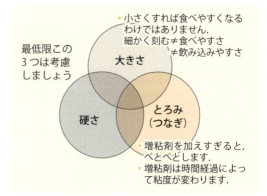

最低限この3つは考慮しましょう

- 小さくすればよべやすくなるわけではありません．細かく刻む ≠ 食べやすさ ≠ 飲み込みやすさ
- 増粘剤を加えすぎると，べとべとします．
- 増粘剤は時間経過によって粘度が変わります．

（医科歯科病診連携検討委員会北海道保健福祉部保健医療局健康推進課. 障害のある子どもたちのための摂食・嚥下障害対応ガイドブック 2008.）

みも必要で，調理の基本は，硬さ，大きさ，とろみである（❹）．
　▶保護者からよく話を聞き，食品の硬さ，大きさ，粘調度を対象児の摂食機能に合わせることが大切である．合わない場合は，食べない，嘔吐・誤嚥するなどが起こりうる（❺）．市販されているとろみをつけるゲル化剤，ゼリー化剤（寒天，ゼラチン，デキストリン，増粘多糖類）をうまく利用するとよい．
- 障害の程度によるが，食具を工夫して，少しでも自分の力で食べることができるようにする．食べやすく工夫されたスプーンやコップが市販されている（❻）．楽しく自分で食べることは，達成感が得られ，心や体の発達に非常に大切である．
- "食べさせる" ではなく，"食べることを支援する" を心がける．

考えてみよう

障がい児を持つ母親は悩みやストレスを抱えていることが多い．どのような支援ができるか考えてみよう．

❺ 誤嚥しやすい食品と形態

	形態	食品
1	硬くて食べにくいもの	肉，リンゴ，干物など
2	水分状のもの[*1]	水，ジュース，味噌汁など
3	食品内の水分が少ないもの	食パン，凍り豆腐，カステラ，もちなど
4	繊維の多いもの	たけのこ，もやし，海藻，こんにゃく，アスパラガス，れんこんなど
5	かまぼこなどの練り製品や魚介類	イカなど
6	口腔内に付着しやすいもの	わかめ，のり，青菜類など
7	酸味が強く，むせやすいもの	酢の物，柑橘類，柑橘系ジュース，梅干しなど
8	喉に詰まりやすい種実類	ごま，ピーナツ，大豆など

（田中弥生，宗像伸子．臨床栄養別冊 おいしい，やさしい介護食 補訂版—症状に合わせて選べる5段階食．東京；医歯薬出版：2004．）

*1
水やジュースはなぜ誤嚥しやすいのか
のどは普段は呼吸をするために気道に開いている．水は口に入ると素早く動くので，気道を塞ぐタイミングが間に合わないで誤嚥しやすい．そのため，とろみをつける，ゼリーにするなどの工夫をして与えるとよい．

❻ 食具

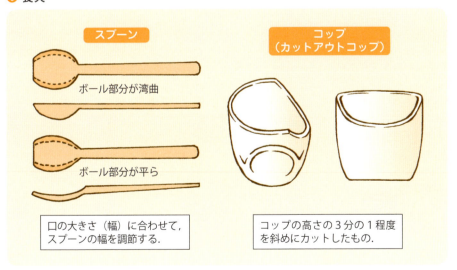

第7章 特別な配慮を要する子どもの食と栄養

Q&A 保護者からのよくある質問に対して保育者としてどう対応すればよいのでしょうか？

Q 食べ物で遊んでばかりで食べようとしません．どうしたらいいでしょうか？（9か月）

A 最初から遊び食べが始まってしまったら，あまりお腹がすいていないのかもしれません．
そんなときは無理に食べさせようとせず，片づけて食事の時間を終わりにするのも一つの方法です．少し間をおいて，お腹をすかせてから再度トライすると食べてくれるかもしれません．
9か月といえば，自分で食べようとする意欲が出てくる時期ですが，自分でどれくらいの量が口に入るかわからずに口に詰め込みすぎたり，食べこぼしたりとうまくいかないのが普通です．失敗を繰り返しながらだんだん一口量を覚えていくので，最初は自由にやらせてあげてください．そして明らかに口に入れずに遊んでいるだけと判断したら，さっさと食事は切り上げて次の食事までおやつなど与えないようにする，そんな対応もいいでしょう．

Q きのこやこんにゃくは食べても大丈夫でしょうか？（1歳1か月）

A きのこやこんにゃく，かまぼこのように弾力があり，噛みにくい食品は1歳1か月児に与えるのは少し早いと思います．また，レタスやわかめなどのペラペラした食品やトマト・豆のように皮が口に残る食品は3歳ごろまで控えるのがよいでしょう．ただし，噛みつぶせる軟らかさに調理すれば食べさせることは可能です．たとえば，トマトはへたのところにフォークをさして火にあぶると，皮がすぐに剥けます．それを食べやすい大きさに切ってみたり，スープに入れて煮込んでみてもいいでしょう．
きのこ類は細かくみじんにしてスープにしたり，炒め物に混ぜるなどの工夫をすれば大丈夫です．
奥歯が生えそろうまでは形はあっても軟らかく調理して与えます．上下の奥歯が生えそろったら噛みつぶしができるようになるので，硬さのあるものも適量与えてみます．個人差があるので，様子をみながらすすめましょう．

Q 白いご飯を食べないのですが，いいでしょうか？（1歳5か月）

A ご飯にふりかけをかけたり，納豆ご飯，味噌汁に浸して食べるなど何かに混ぜて食べることが主になっていませんか？　そうした食べ方は栄養的な面では問題ないですが，味覚を育てる点からすると少し工夫したほうがよいでしょう．日本独特の食べ方に「口中調味」があります．口中調味とは，ご飯とおかずを交互に食べて，本来味があまりないご飯をおかずで味付けして食べる方法で，おかずからのたんぱく質や脂質の過剰摂取を防ぐことができますし，ご飯を中心に多種類の食品を組み合わせることで栄養のバランスが整います．また，一口ずつ味を切り替えることで食事全体の味わいを楽しむこともできます．少しずつでいいですから白いご飯とおかずを交互に食べさせてみましょう．

154

資　料

----

1 保育所保育指針
2 食育基本法
3 日本人の食事摂取基準（2020 年）
4 食生活指針
5 保育所における食事の提供に関する全国調査
6 新しい食品表示制度，JAS マーク
7 乳幼児身体発育曲線

資　料

1 保育所保育指針（2018〈平成30〉年4月1日施行）

　保育所保育の基本となる考え方や保育のねらい，および内容など保育の実施に関わることと，これに関連する運営について定めたものが「保育所保育指針」です．

　厚生労働大臣告示として定められ，規範性を有する基準としての性格をもっており，その内容によって，①遵守しなければならないもの，②努力義務が課されるもの，③基本原則にとどめ，各保育所の創意や裁量を許容するもの，または各保育所での取組が奨励されることや保育の実施上の配慮にとどまるものなどに区別されています．各保育所は，これらを踏まえ，それぞれの実情に応じて創意工夫を図り，保育所の機能および質の向上に努めなければなりません（参考：厚生労働省 保育所保育指針解説 http://www.ans.co.jp/u/okinawa/cgi-bin/img_News/151-1.pdf）．

　本項目では第3章「健康及び安全」を抜粋して掲載します．

第3章 健康及び安全

　保育所保育において，子どもの健康及び安全の確保は，子どもの生命の保持と健やかな生活の基本であり，一人一人の子どもの健康の保持及び増進並びに安全の確保とともに，保育所全体における健康及び安全の確保に努めることが重要となる．また，子どもが，自らの体や健康に関心をもち，心身の機能を高めていくことが大切である．このため，第1章及び第2章等の関連する事項に留意し，次に示す事項を踏まえ，保育を行うこととする．

1 子どもの健康支援

(1) 子どもの健康状態並びに発育及び発達状態の把握

　ア　子どもの心身の状態に応じて保育するために，子どもの健康状態並びに発育及び発達状態について，定期的・継続的に，また，必要に応じて随時，把握すること．

　イ　保護者からの情報とともに，登所時及び保育中を通じて子どもの状態を観察し，何らかの疾病が疑われる状態や傷害が認められた場合には，保護者に連絡するとともに，嘱託医と相談するなど適切な対応を図ること．看護師等が配置されている場合には，その専門性を生かした対応を図ること．

　ウ　子どもの心身の状態等を観察し，不適切な養育の兆候が見られる場合には，市町村や関係機関と連携し，児童福祉法第25条に基づき，適切な対応を図ること．また，虐待が疑われる場合には，速やかに市町村又は児童相談所に通告し，適切な対応を図ること．

(2) 健康増進

　ア　子どもの健康に関する保健計画を全体的な計画に基づいて作成し，全職員がそのねらいや内容を踏まえ，一人一人の子どもの健康の保持及び増進に努めていくこと．

　イ　子どもの心身の健康状態や疾病等の把握のために，嘱託医等により定期的に健康診断を行い，その結果を記録し，保育に活用するとともに，保護者が子どもの状態を理解し，日常生活に活用できるようにすること．

(3) 疾病等への対応

　ア　保育中に体調不良や傷害が発生した場合には，その子どもの状態等に応じて，保護者に連絡するとともに，適宜，嘱託医や子どものかかりつけ医等と相談し，適切な処置を行うこと．

看護師等が配置されている場合には，その専門性を生かした対応を図ること．

イ　感染症やその他の疾病の発生予防に努め，その発生や疑いがある場合には，必要に応じて嘱託医，市町村，保健所等に連絡し，その指示に従うとともに，保護者や全職員に連絡し，予防等について協力を求めること．また，感染症に関する保育所の対応方法等について，あらかじめ関係機関の協力を得ておくこと．看護師等が配置されている場合には，その専門性を生かした対応を図ること．

ウ　アレルギー疾患を有する子どもの保育については，保護者と連携し，医師の診断及び指示に基づき，適切な対応を行うこと．また，食物アレルギーに関して，関係機関と連携して，当該保育所の体制構築など，安全な環境の整備を行うこと．看護師や栄養士等が配置されている場合には，その専門性を生かした対応を図ること．

エ　子どもの疾病等の事態に備え，医務室等の環境を整え，救急用の薬品，材料等を適切な管理の下に常備し，全職員が対応できるようにしておくこと．

2 食育の推進

(1)保育所の特性を生かした食育

ア　保育所における食育は，健康な生活の基本としての「食を営む力」の育成に向け，その基礎を培うことを目標とすること．

イ　子どもが生活と遊びの中で，意欲をもって食に関わる体験を積み重ね，食べることを楽しみ，食事を楽しみ合う子どもに成長していくことを期待するものであること．

ウ　乳幼児期にふさわしい食生活が展開され，適切な援助が行われるよう，食事の提供を含む食育計画を全体的な計画に基づいて作成し，その評価及び改善に努めること．栄養士が配置されている場合は，専門性を生かした対応を図ること．

(2)食育の環境の整備等

ア　子どもが自らの感覚や体験を通して，自然の恵みとしての食材や食の循環・環境への意識，調理する人への感謝の気持ちが育つように，子どもと調理員等との関わりや，調理室など食に関わる保育環境に配慮すること．

イ　保護者や地域の多様な関係者との連携及び協働の下で，食に関する取組が進められること．また，市町村の支援の下に，地域の関係機関等との日常的な連携を図り，必要な協力が得られるよう努めること．

ウ　体調不良，食物アレルギー，障害のある子どもなど，一人一人の子どもの心身の状態等に応じ，嘱託医，かかりつけ医等の指示や協力の下に適切に対応すること．栄養士が配置されている場合は，専門性を生かした対応を図ること．

3 環境及び衛生管理並びに安全管理

(1)環境及び衛生管理

ア　施設の温度，湿度，換気，採光，音などの環境を常に適切な状態に保持するとともに，施設内外の設備及び用具等の衛生管理に努めること．

イ　施設内外の適切な環境の維持に努めるとともに，子ども及び全職員が清潔を保つようにすること．また，職員は衛生知識の向上に努めること．

資 料

(2)事故防止及び安全対策

　ア　保育中の事故防止のために，子どもの心身の状態等を踏まえつつ，施設内外の安全点検に努め，安全対策のために全職員の共通理解や体制づくりを図るとともに，家庭や地域の関係機関の協力の下に安全指導を行うこと．

　イ　事故防止の取組を行う際には，特に，睡眠中，プール活動・水遊び中，食事中等の場面では重大事故が発生しやすいことを踏まえ，子どもの主体的な活動を大切にしつつ，施設内外の環境の配慮や指導の工夫を行うなど，必要な対策を講じること．

　ウ　保育中の事故の発生に備え，施設内外の危険箇所の点検や訓練を実施するとともに，外部からの不審者等の侵入防止のための措置や訓練など不測の事態に備えて必要な対応を行うこと．また，子どもの精神保健面における対応に留意すること．

4 災害への備え

(1)施設・設備等の安全確保

　ア　防火設備，避難経路等の安全性が確保されるよう，定期的にこれらの安全点検を行うこと．

　イ　備品，遊具等の配置，保管を適切に行い，日頃から，安全環境の整備に努めること．

(2)災害発生時の対応体制及び避難への備え

　ア　火災や地震などの災害の発生に備え，緊急時の対応の具体的内容及び手順，職員の役割分担，避難訓練計画等に関するマニュアルを作成すること．

　イ　定期的に避難訓練を実施するなど，必要な対応を図ること．

　ウ　災害の発生時に，保護者等への連絡及び子どもの引渡しを円滑に行うため，日頃から保護者との密接な連携に努め，連絡体制や引渡し方法等について確認をしておくこと．

(3)地域の関係機関等との連携

　ア　市町村の支援の下に，地域の関係機関との日常的な連携を図り，必要な協力が得られるよう努めること．

　イ　避難訓練については，地域の関係機関や保護者との連携の下に行うなど工夫すること．

2 食育基本法

（平成 17 年 6 月 17 日法律第 63 号）
（最終改正：平成 27 年 9 月 11 日法律第 66 号）

前文

第一章　総則（第一条―第十五条）

第二章　食育推進基本計画等（第十六条―第十八条）

第三章　基本的施策（第十九条―第二十五条）

第四章　食育推進会議等（第二十六条―第三十三条）

附則

　二十一世紀における我が国の発展のためには，子どもたちが健全な心と身体を培い，未来や国際社会に向かって羽ばたくことができるようにするとともに，すべての国民が心身の健康を確保し，生涯にわたって生き生きと暮らすことができるようにすることが大切である．

　子どもたちが豊かな人間性をはぐくみ，生きる力を身に付けていくためには，何よりも「食」が重要である．今，改めて，食育を，生きる上での基本であって，知育，徳育及び体育の基礎となるべきものと位置付けるとともに，様々な経験を通じて「食」に関する知識と「食」を選択する力を習得し，健全な食生活を実践することができる人間を育てる食育を推進することが求められている．もとより，食育はあらゆる世代の国民に必要なものであるが，子どもたちに対する食育は，心身の成長及び人格の形成に大きな影響を及ぼし，生涯にわたって健全な心と身体を培い豊かな人間性をはぐくんでいく基礎となるものである．

　一方，社会経済情勢がめまぐるしく変化し，日々忙しい生活を送る中で，人々は，毎日の「食」の大切さを忘れがちである．国民の食生活においては，栄養の偏り，不規則な食事，肥満や生活習慣病の増加，過度の痩身志向などの問題に加え，新たな「食」の安全上の問題や，「食」の海外への依存の問題が生じており，「食」に関する情報が社会に氾濫する中で，人々は，食生活の改善の面からも，「食」の安全の確保の面からも，自ら「食」のあり方を学ぶことが求められている．また，豊かな緑と水に恵まれた自然の下で先人からはぐくまれてきた，地域の多様性と豊かな味覚や文化の香りあふれる日本の「食」が失われる危機にある．

　こうした「食」をめぐる環境の変化の中で，国民の「食」に関する考え方を育て，健全な食生活を実現することが求められるとともに，都市と農山漁村の共生・対流を進め，「食」に関する消費者と生産者との信頼関係を構築して，地域社会の活性化，豊かな食文化の継承及び発展，環境と調和のとれた食料の生産及び消費の推進並びに食料自給率の向上に寄与することが期待されている．

　国民一人一人が「食」について改めて意識を高め，自然の恩恵や「食」に関わる人々の様々な活動への感謝の念や理解を深めつつ，「食」に関して信頼できる情報に基づく適切な判断を行う能力を身に付けることによって，心身の健康を増進する健全な食生活を実践するために，今こそ，家庭，学校，保育所，地域等を中心に，国民運動として，食育の推進に取り組んでいくことが，我々に課せられている課題である．さらに，食育の推進に関する我が国の取組が，海外との交流等を通じて食育に関して国

資　料

際的に貢献することにつながることも期待される.

　ここに，食育について，基本理念を明らかにしてその方向性を示し，国，地方公共団体及び国民の食育の推進に関する取組を総合的かつ計画的に推進するため，この法律を制定する.

第一章　総則

（目的）

第一条　この法律は，近年における国民の食生活をめぐる環境の変化に伴い，国民が生涯にわたって健全な心身を培い，豊かな人間性をはぐくむための食育を推進することが緊要な課題となっていることにかんがみ，食育に関し，基本理念を定め，及び国，地方公共団体等の責務を明らかにするとともに，食育に関する施策の基本となる事項を定めることにより，食育に関する施策を総合的かつ計画的に推進し，もって現在及び将来にわたる健康で文化的な国民の生活と豊かで活力ある社会の実現に寄与することを目的とする.

（国民の心身の健康の増進と豊かな人間形成）

第二条　食育は，食に関する適切な判断力を養い，生涯にわたって健全な食生活を実現することにより，国民の心身の健康の増進と豊かな人間形成に資することを旨として，行われなければならない.

（食に関する感謝の念と理解）

第三条　食育の推進に当たっては，国民の食生活が，自然の恩恵の上に成り立っており，また，食に関わる人々の様々な活動に支えられていることについて，感謝の念や理解が深まるよう配慮されなければならない.

（食育推進運動の展開）

第四条　食育を推進するための活動は，国民，民間団体等の自発的意思を尊重し，地域の特性に配慮し，地域住民その他の社会を構成する多様な主体の参加と協力を得るものとするとともに，その連携を図りつつ，あまねく全国において展開されなければならない.

（子どもの食育における保護者，教育関係者等の役割）

第五条　食育は，父母その他の保護者にあっては，家庭が食育において重要な役割を有していることを認識するとともに，子どもの教育，保育等を行う者にあっては，教育，保育等における食育の重要性を十分自覚し，積極的に子どもの食育の推進に関する活動に取り組むこととなるよう，行われなければならない.

（食に関する体験活動と食育推進活動の実践）

第六条　食育は，広く国民が家庭，学校，保育所，地域その他のあらゆる機会とあらゆる場所を利用して，食料の生産から消費等に至るまでの食に関する様々な体験活動を行うとともに，自ら食育の推進のための活動を実践することにより，食に関する理解を深めることを旨として，行われなければならない.

（伝統的な食文化，環境と調和した生産等への配意及び農山漁村の活性化と食料自給率の向上への貢献）

第七条 食育は，我が国の伝統のある優れた食文化，地域の特性を生かした食生活，環境と調和のとれた食料の生産とその消費等に配意し，我が国の食料の需要及び供給の状況についての国民の理解を深めるとともに，食料の生産者と消費者との交流等を図ることにより，農山漁村の活性化と我が国の食料自給率の向上に資するよう，推進されなければならない．

（食品の安全性の確保等における食育の役割）

第八条 食育は，食品の安全性が確保され安心して消費できることが健全な食生活の基礎であることにかんがみ，食品の安全性をはじめとする食に関する幅広い情報の提供及びこれについての意見交換が，食に関する知識と理解を深め，国民の適切な食生活の実践に資することを旨として，国際的な連携を図りつつ積極的に行われなければならない．

（国の責務）

第九条 国は，第二条から前条までに定める食育に関する基本理念（以下「基本理念」という．）にのっとり，食育の推進に関する施策を総合的かつ計画的に策定し，及び実施する責務を有する．

（地方公共団体の責務）

第十条 地方公共団体は，基本理念にのっとり，食育の推進に関し，国との連携を図りつつ，その地方公共団体の区域の特性を生かした自主的な施策を策定し，及び実施する責務を有する．

（教育関係者等及び農林漁業者等の責務）

第十一条 教育並びに保育，介護その他の社会福祉，医療及び保健（以下「教育等」という．）に関する職務に従事する者並びに教育等に関する関係機関及び関係団体（以下「教育関係者等」という．）は，食に関する関心及び理解の増進に果たすべき重要な役割にかんがみ，基本理念にのっとり，あらゆる機会とあらゆる場所を利用して，積極的に食育を推進するよう努めるとともに，他の者の行う食育の推進に関する活動に協力するよう努めるものとする．

2　農林漁業者及び農林漁業に関する団体（以下「農林漁業者等」という．）は，農林漁業に関する体験活動等が食に関する国民の関心及び理解を増進する上で重要な意義を有することにかんがみ，基本理念にのっとり，農林漁業に関する多様な体験の機会を積極的に提供し，自然の恩恵と食に関わる人々の活動の重要性について，国民の理解が深まるよう努めるとともに，教育関係者等と相互に連携して食育の推進に関する活動を行うよう努めるものとする．

（食品関連事業者等の責務）

第十二条 食品の製造，加工，流通，販売又は食事の提供を行う事業者及びその組織する団体（以下「食品関連事業者等」という．）は，基本理念にのっとり，その事業活動に関し，自主的かつ積極的に食育の推進に自ら努めるとともに，国又は地方公共団体が実施する食育の推進に関する施策その他の食育の推進に関する活動に協力するよう努めるものとする．

（国民の責務）

第十三条 国民は，家庭，学校，保育所，地域その他の社会のあらゆる分野において，基本理念にのっとり，生涯にわたり健全な食生活の実現に自ら努めるとともに，食育の推進に寄与するよう努めるものとする．

資　料

（法制上の措置等）

第十四条　政府は，食育の推進に関する施策を実施するため必要な法制上又は財政上の措置その他の措置を講じなければならない．

（年次報告）

第十五条　政府は，毎年，国会に，政府が食育の推進に関して講じた施策に関する報告書を提出しなければならない．

第二章　食育推進基本計画等

（食育推進基本計画）

第十六条　食育推進会議は，食育の推進に関する施策の総合的かつ計画的な推進を図るため，食育推進基本計画を作成するものとする．

2　食育推進基本計画は，次に掲げる事項について定めるものとする．

　　一　食育の推進に関する施策についての基本的な方針

　　二　食育の推進の目標に関する事項

　　三　国民等の行う自発的な食育推進活動等の総合的な促進に関する事項

　　四　前三号に掲げるもののほか，食育の推進に関する施策を総合的かつ計画的に推進するために必要な事項

3　食育推進会議は，第一項の規定により食育推進基本計画を作成したときは，速やかにこれを農林水産大臣に報告し，及び関係行政機関の長に通知するとともに，その要旨を公表しなければならない．

4　前項の規定は，食育推進基本計画の変更について準用する．

（都道府県食育推進計画）

第十七条　都道府県は，食育推進基本計画を基本として，当該都道府県の区域内における食育の推進に関する施策についての計画（以下「都道府県食育推進計画」という．）を作成するよう努めなければならない．

2　都道府県（都道府県食育推進会議が置かれている都道府県にあっては，都道府県食育推進会議）は，都道府県食育推進計画を作成し，又は変更したときは，速やかに，その要旨を公表しなければならない．

（市町村食育推進計画）

第十八条　市町村は，食育推進基本計画（都道府県食育推進計画が作成されているときは，食育推進基本計画及び都道府県食育推進計画）を基本として，当該市町村の区域内における食育の推進に関する施策についての計画（以下「市町村食育推進計画」という．）を作成するよう努めなければならない．

2　市町村（市町村食育推進会議が置かれている市町村にあっては，市町村食育推進会議）は，市町村食育推進計画を作成し，又は変更したときは，速やかに，その要旨を公表しなければならない．

第三章　基本的施策

（家庭における食育の推進）

第十九条　国及び地方公共団体は，父母その他の保護者及び子どもの食に対する関心及び理解を深め，健全な食習慣の確立に資するよう，親子で参加する料理教室その他の食事についての望ましい

習慣を学びながら食を楽しむ機会の提供，健康美に関する知識の啓発その他の適切な栄養管理に関する知識の普及及び情報の提供，妊産婦に対する栄養指導又は乳幼児をはじめとする子どもを対象とする発達段階に応じた栄養指導その他の家庭における食育の推進を支援するために必要な施策を講ずるものとする.

（学校，保育所等における食育の推進）
  第二十条　国及び地方公共団体は，学校，保育所等において魅力ある食育の推進に関する活動を効果的に促進することにより子どもの健全な食生活の実現及び健全な心身の成長が図られるよう，学校，保育所等における食育の推進のための指針の作成に関する支援，食育の指導にふさわしい教職員の設置及び指導的立場にある者の食育の推進において果たすべき役割についての意識の啓発その他の食育に関する指導体制の整備，学校，保育所等又は地域の特色を生かした学校給食等の実施，教育の一環として行われる農場等における実習，食品の調理，食品廃棄物の再生利用等様々な体験活動を通じた子どもの食に関する理解の促進，過度の痩身又は肥満の心身の健康に及ぼす影響等についての知識の啓発その他必要な施策を講ずるものとする.

（地域における食生活の改善のための取組の推進）
  第二十一条　国及び地方公共団体は，地域において，栄養，食習慣，食料の消費等に関する食生活の改善を推進し，生活習慣病を予防して健康を増進するため，健全な食生活に関する指針の策定及び普及啓発，地域における食育の推進に関する専門的知識を有する者の養成及び資質の向上並びにその活用，保健所，市町村保健センター，医療機関等における食育に関する普及及び啓発活動の推進，医学教育等における食育に関する指導の充実，食品関連事業者等が行う食育の推進のための活動への支援等必要な施策を講ずるものとする.

（食育推進運動の展開）
  第二十二条　国及び地方公共団体は，国民，教育関係者等，農林漁業者等，食品関連事業者等その他の事業者若しくはその組織する団体又は消費生活の安定及び向上等のための活動を行う民間の団体が自発的に行う食育の推進に関する活動が，地域の特性を生かしつつ，相互に緊密な連携協力を図りながらあまねく全国において展開されるようにするとともに，関係者相互間の情報及び意見の交換が促進されるよう，食育の推進に関する普及啓発を図るための行事の実施，重点的かつ効果的に食育の推進に関する活動を推進するための期間の指定その他必要な施策を講ずるものとする.
  2　国及び地方公共団体は，食育の推進に当たっては，食生活の改善のための活動その他の食育の推進に関する活動に携わるボランティアが果たしている役割の重要性にかんがみ，これらのボランティアとの連携協力を図りながら，その活動の充実が図られるよう必要な施策を講ずるものとする.

（生産者と消費者との交流の促進，環境と調和のとれた農林漁業の活性化等）
  第二十三条　国及び地方公共団体は，生産者と消費者との間の交流の促進等により，生産者と消費者との信頼関係を構築し，食品の安全性の確保，食料資源の有効な利用の促進及び国民の食に対する理解と関心の増進を図るとともに，環境と調和のとれた農林漁業の活性化に資するため，農林水産物の生産，食品の製造，流通等における体験活動の促進，農林水産物の生産された地域内の学校給食等における利用その他のその地域内における消費の促進，創意工夫を生かした食品廃棄物の発生の抑制及び再生利用等必要な施策を講ずるものとする.

資　料

（食文化の継承のための活動への支援等）

第二十四条　国及び地方公共団体は，伝統的な行事や作法と結びついた食文化，地域の特色ある食文化等我が国の伝統のある優れた食文化の継承を推進するため，これらに関する啓発及び知識の普及その他の必要な施策を講ずるものとする．

（食品の安全性，栄養その他の食生活に関する調査，研究，情報の提供及び国際交流の推進）

第二十五条　国及び地方公共団体は，すべての世代の国民の適切な食生活の選択に資するよう，国民の食生活に関し，食品の安全性，栄養，食習慣，食料の生産，流通及び消費並びに食品廃棄物の発生及びその再生利用の状況等について調査及び研究を行うとともに，必要な各種の情報の収集，整理及び提供，データベースの整備その他食に関する正確な情報を迅速に提供するために必要な施策を講ずるものとする．

2　国及び地方公共団体は，食育の推進に資するため，海外における食品の安全性，栄養，食習慣等の食生活に関する情報の収集，食育に関する研究者等の国際的交流，食育の推進に関する活動についての情報交換その他国際交流の推進のために必要な施策を講ずるものとする．

第四章　食育推進会議等

（食育推進会議の設置及び所掌事務）

第二十六条　農林水産省に，食育推進会議を置く．

2　食育推進会議は，次に掲げる事務をつかさどる．

　　一　食育推進基本計画を作成し，及びその実施を推進すること．

　　二　前号に掲げるもののほか，食育の推進に関する重要事項について審議し，及び食育の推進に関する施策の実施を推進すること．

（組織）

第二十七条　食育推進会議は，会長及び委員二十五人以内をもって組織する．

（会長）

第二十八条　会長は，農林水産大臣をもって充てる．

2　会長は，会務を総理する．

3　会長に事故があるときは，あらかじめその指名する委員がその職務を代理する．

（委員）

第二十九条　委員は，次に掲げる者をもって充てる．

　　一　農林水産大臣以外の国務大臣のうちから，農林水産大臣の申出により，内閣総理大臣が指定する者

　　二　食育に関して十分な知識と経験を有する者のうちから，農林水産大臣が任命する者

2　前項第二号の委員は，非常勤とする．

（委員の任期）

第三十条　前条第一項第二号の委員の任期は，二年とする．ただし，補欠の委員の任期は，前任者の残任期間とする．

2　前条第一項第二号の委員は，再任されることができる．

（政令への委任）
第三十一条 この章に定めるもののほか，食育推進会議の組織及び運営に関し必要な事項は，政令で定める．

（都道府県食育推進会議）
第三十二条 都道府県は，その都道府県の区域における食育の推進に関して，都道府県食育推進計画の作成及びその実施の推進のため，条例で定めるところにより，都道府県食育推進会議を置くことができる．
2 都道府県食育推進会議の組織及び運営に関し必要な事項は，都道府県の条例で定める．

（市町村食育推進会議）
第三十三条 市町村は，その市町村の区域における食育の推進に関して，市町村食育推進計画の作成及びその実施の推進のため，条例で定めるところにより，市町村食育推進会議を置くことができる．
2 市町村食育推進会議の組織及び運営に関し必要な事項は，市町村の条例で定める．

附則抄
（施行期日）
第一条 この法律は，公布の日から起算して一月を超えない範囲内において政令で定める日から施行する．

附則（平成 21 年 6 月 5 日法律第 49 号）抄
（施行期日）
第一条 この法律は，消費者庁及び消費者委員会設置法（平成 21 年法律第 48 号）の施行の日から施行する．

附則（平成 27 年 9 月 11 日法律第 66 号）抄
（施行期日）
第一条 この法律は，平成 28 年 4 月 1 日から施行する．ただし，次の各号に掲げる規定は，当該各号に定める日から施行する．
　一　附則第七条の規定　公布の日

（食育基本法の一部改正に伴う経過措置）
第四条 この法律の施行の際現に第二十五条の規定による改正前の食育基本法第二十六条第一項の規定により置かれている食育推進会議は，第二十五条の規定による改正後の食育基本法第二十六条第一項の規定により置かれる食育推進会議となり，同一性をもって存続するものとする．

（政令への委任）
第七条 附則第二条から前条までに定めるもののほか，この法律の施行に関し必要な経過措置は，政令で定める．

資　料

3 日本人の食事摂取基準（2020年版） ···

1. 策定の目的

　日本人の食事摂取基準は，健康増進法（平成14年法律第103号）第30条の2に基づき厚生労働大臣が定めるものとされ，国民の健康の保持・増進を図る上で摂取することが望ましいエネルギー及び栄養素の量の基準を示すものである．

2. 使用期間

　使用期間は，令和2（2020）年度から令和6（2024）年度の5年間である．

3. 策定した食事摂取基準（抜粋）

推定エネルギー必要量　　　　　　　　（kcal/日）

推定活動レベル	男性 Ⅱ（普通）	女性 Ⅱ（普通）
0〜5か月	550	500
6〜8か月	650	600
9〜11か月	700	650
1〜2歳	950	900
3〜5歳	1,300	1,250
6〜7歳	1,550	1,450
18〜29歳	2,650	2,000

たんぱく質の推奨量　　　　　　　　　　（g/日）

	男性	女性
0〜5か月	10（目安量）	10（目安量）
6〜8か月	15（目安量）	15（目安量）
9〜11か月	25（目安量）	25（目安量）
1〜2歳	20	20
3〜5歳	25	25
6〜7歳	30	30
18〜29歳	65	50

＊目安量は，母乳栄養児の値

脂質の目標量　　　　　　　　　　　（％エネルギー）

	男性	女性
0〜5か月	50（目安量）	50（目安量）
6〜11か月	40（目安量）	40（目安量）
1〜2歳	20〜30	20〜30
3〜5歳	20〜30	20〜30
6〜7歳	20〜30	20〜30
18〜29歳	20〜30	20〜30

＊範囲に関しては，おおむねの値を示したものである．

炭水化物の目標量　　　　　　　　　（％エネルギー）

	男性	女性
0〜5か月	—	—
6〜11か月	—	—
1〜2歳	50〜65	50〜65
3〜5歳	50〜65	50〜65
6〜7歳	50〜65	50〜65
18〜29歳	50〜65	50〜65

＊範囲に関しては，おおむねの値を示したものである．
＊アルコールを含む．ただし，アルコールの摂取を勧めるものではない．

食物繊維の目標量　　　　　　　　　　　（g/日）

	男性	女性
3〜5歳	8以上	8以上
6〜7歳	10以上	10以上
8〜9歳	11以上	11以上
10〜11歳	13以上	13以上
12〜14歳	17以上	17以上
15〜17歳	19以上	18以上
18〜29歳	21以上	18以上

2015年版では6歳以上が提示されていたが，高食物繊維食は小児でも便秘に有効であることから2020年版では3歳以上で目標量が示された．

③ 日本人の食事摂取基準（2020年版）

ビタミン B₁ の推奨量　　(mg/日)

	男性	女性
0〜5か月	0.1（目安量）	0.1（目安量）
6〜11か月	0.2（目安量）	0.2（目安量）
1〜2歳	0.5	0.5
3〜5歳	0.7	0.7
6〜7歳	0.8	0.8
18〜29歳	1.4	1.1

＊チアミン塩化物塩酸塩（分子量＝337.3）の重量として示した.
＊身体活動レベルⅡの推定エネルギー必要量を用いて算定した.
特記事項：推定平均必要量は，ビタミン B₁ の欠乏症である脚気を予防するに足る最小必要量からではなく，尿中にビタミン B₁ の排泄量が増大し始める摂取量（体内飽和量）から算定.

ビタミン C の推奨量　　(mg/日)

	男性	女性
0〜5か月	40（目安量）	40（目安量）
6〜11か月	40（目安量）	40（目安量）
1〜2歳	40	40
3〜5歳	50	50
6〜7歳	60	60
18〜29歳	100	100

＊L−アスコルビン酸（分子量＝176.12）の重量で示した.
特記事項：推定平均必要量は，ビタミン C の欠乏症である壊血病を予防するに足る最小量からではなく，心臓血管系の疾病予防効果及び抗酸化作用の観点から算定.

ビタミン D の目安量　　(μg/日)

	男性	女性
0〜5か月	5.0	5.0
6〜11か月	5.0	5.0
1〜2歳	3.0	3.5
3〜5歳	3.5	4.0
6〜7歳	4.5	5.0
18〜29歳	8.5	8.5

鉄の推奨量　　(mg/日)

	男性	女性	
		月経なし	月経あり
0〜5か月	0.5（目安量）	0.5（目安量）	—
6〜11か月	5.0	4.5	—
1〜2歳	4.5	4.5	—
3〜5歳	5.5	5.5	—
6〜7歳	5.5	5.5	—
18〜29歳	7.5	6.5	10.5＊

＊過多月経（経血量が 80mL/ 回以上）の人を除外して策定

カルシウムの推奨量　　(mg/日)

	男性	女性
0〜5か月	200（目安量）	200（目安量）
6〜11か月	250（目安量）	250（目安量）
1〜2歳	450	400
3〜5歳	600	550
6〜7歳	600	550
18〜29歳	800	650

資　料

4　食生活指針（平成 28〈2016〉年 6 月一部改正）

1. 食事を楽しみましょう

- 毎日の食事で，健康寿命をのばしましょう.
- おいしい食事を，味わいながらゆっくりよく噛んで食べましょう.
- 家族の団らんや人との交流を大切に，また，食事づくりに参加しましょう.

2. 1 日の食事のリズムから，健やかな生活リズムを

- 朝食で，いきいきした 1 日を始めましょう.
- 夜食や間食はとりすぎないようにしましょう.
- 飲酒はほどほどにしましょう.

3. 適度な運動とバランスのよい食事で，適正体重の維持を

- 普段から体重を量り，食事量に気をつけましょう.
- 普段から意識して身体を動かすようにしましょう.
- 無理な減量はやめましょう.
- 特に若年女性のやせ，高齢者の低栄養にも気をつけましょう.

4. 主食，主菜，副菜を基本に，食事のバランスを

- 多様な食品を組み合わせましょう.
- 調理方法が偏らないようにしましょう.
- 手作りと外食や加工食品・調理食品を上手に組み合わせましょう.

5. ごはんなどの穀類をしっかりと

- 穀類を毎食とって，糖質からのエネルギー摂取を適正に保ちましょう.
- 日本の気候・風土に適している米などの穀類を利用しましょう.

6. 野菜・果物，牛乳・乳製品，豆類，魚なども組み合わせて

- たっぷり野菜と毎日の果物で，ビタミン，ミネラル，食物繊維をとりましょう.
- 牛乳・乳製品，緑黄色野菜，豆類，小魚などで，カルシウムを十分にとりましょう.

7. 食塩は控えめに，脂肪は質と量を考えて

- 食塩の多い食品や料理を控えめにしましょう. 食塩摂取量の目標値は，男性で 1 日 8g 未満，女性で 7g 未満とされています.
- 動物，植物，魚由来の脂肪をバランスよくとりましょう.
- 栄養成分表示を見て，食品や外食を選ぶ習慣を身につけましょう.

8. 日本の食文化や地域の産物を活かし，郷土の味の継承を

- 「和食」をはじめとした日本の食文化を大切にして，日々の食生活に活かしましょう.
- 地域の産物や旬の素材を使うとともに，行事食を取り入れながら，自然の恵みや四季の変化を楽しみましょう.
- 食材に関する知識や調理技術を身につけましょう.
- 地域や家庭で受け継がれてきた料理や作法を伝えていきましょう.

9. 食料資源を大切に，無駄や廃棄の少ない食生活を

- まだ食べられるのに廃棄されている食品ロスを減らしましょう.
- 調理や保存を上手にして，食べ残しのない適量を心がけましょう.
- 賞味期限や消費期限を考えて利用しましょう.

10. 「食」に関する理解を深め，食生活を見直してみましょう

- 子供のころから，食生活を大切にしましょう.
- 家庭や学校，地域で，食品の安全性を含めた「食」に関する知識や理解を深め，望ましい習慣を身につけましょう.
- 家族や仲間と，食生活を考えたり，話し合ったりしてみましょう.
- 自分たちの健康目標をつくり，よりよい食生活を目指しましょう.

（農林水産省　http://www.maff.go.jp/j/syokuiku/attach/pdf/shishinn-4.pdf を基に作成）

5 「保育所における食事の提供に関する全国調査」の報告より抜粋 …

調査対象：全国公私立保育所　対象 22,951 箇所

アンケート回答数：11,415（49.74％）

調査日：平成 23 年 9 月 15 日〜 10 月 10 日

報告者：日本保育園保健協議会

① 保育所の給食形態は

	自園調理	業務委託	外部搬入	無回答	合計
施設数	10,019	707	185	504	11,415
比率	87.77%	6.19%	1.62%	4.42%	100.00%

（回答施設 11,415 に対する比率）

② 保育所における給食の役割について重要なこととして，保育計画の中で優先順位が高いものを 3 つ選んで○を付けてください

順位		件数	比率
1	みんなで楽しく食べる食習慣を身につける	9,928	86.97%
2	子どものよりよい成長・発達	9,588	83.99%
3	食前の手洗い，食後の歯磨きなど含めた食習慣を身につける	5,874	51.46%
4	栄養のバランスが分かる食事	4,821	42.23%
5	家庭の補完としての食事の提供	1,584	13.88%
6	保護者や地域の育児支援としての食事	1,023	8.96%
7	その他（具体的に）	269	2.36%
	無回答	316	2.77%

③ 乳幼児期に身につけたい食習慣として，優先順位が高いものを 3 つ選んで○を付けてください

順位		件数	比率
1	食事はみんなで楽しく食べる	8,059	70.60%
2	良く噛んで食べる	7,222	63.27%
3	偏食・好き嫌いがない	5,318	46.59%
4	食事の前には必ず手を洗う	4,867	42.64%
5	きちんとした姿勢で食べる	2,997	26.25%
6	味わって食べる	2,340	20.50%
7	食具（箸等）が上手に使える	1,667	14.60%
8	食事の後には歯を磨く	735	6.44%
	無回答	301	2.64%

資　料

④ 給食を実施する際，気を配っていることのうち優先順位が高いものを３つ選んで○を付けてください

順位		件数	比率
1	衛生面	9,791	85.77%
2	栄養面	7,201	63.08%
3	多くの子が喜んでくれる食事	4,384	38.41%
4	旬の食材を中心に	4,334	37.97%
5	嫌いな物を食べられる工夫	1,927	16.88%
6	調理の過程が自然に目・耳・匂いで感じられる	1,832	16.05%
7	地産の食材を多く取り入れる	1,538	13.47%
8	歯の生え方（成長）や咀嚼・嚥下機能にあった食事（調理）	940	8.23%
9	行事を意識している	500	4.38%
10	残飯の量（なるべく少なくする）	484	4.24%
11	経済面	131	1.15%
	無回答	342	3.00%

⑤ 保育所の給食と家庭での食事の関連で，次の項目の実施状況について○を付けてください

順位		はい		いいえ		無回答	
		件数	比率	件数	比率	件数	比率
1	献立表の配付	11,138	97.57%	24	0.21%	253	2.22%
2	栽培活動	10,617	93.01%	428	3.75%	370	3.24%
3	食事の相談	9,953	87.19%	910	7.97%	552	4.84%
4	園児が調理室を見えるようにしている	8,579	75.16%	2,290	20.06%	546	4.78%
5	給食の試食会	7,917	69.36%	2,952	25.86%	546	4.78%
6	調理体験	7,321	64.13%	3,435	30.09%	659	5.77%

⑥ 給食の提供に関してあてはまるものに○を付けてください

順位		はい		いいえ		無回答	
		件数	比率	件数	比率	件数	比率
1	アレルギー食の給食の個別対応をしている	10,855	95.09%	177	1.55%	383	3.36%
2	調理したての温かい料理が食べられる	10,811	94.71%	234	2.05%	370	3.24%
3	衛生管理の状況を直接把握している	10,707	93.80%	244	2.14%	464	4.06%
4	保育との連携が十分にとれている	10,491	91.91%	421	3.69%	503	4.41%
5	園児が調理する人たちと日頃から接している	10,427	91.34%	629	5.51%	359	3.14%
6	急な予定変更などにも対応している	10,169	89.08%	653	5.72%	593	5.19%
7	調理の過程が匂い，音などで感じられる	10,046	88.01%	967	8.47%	402	3.52%
8	食材の産地や流通経路が明確である	9,948	87.15%	916	8.02%	551	4.83%
9	離乳食について給食の個別対応をしている	9,869	86.46%	636	5.57%	910	7.97%
10	体調不良児への対応をしている	9,764	85.54%	1,124	9.85%	527	4.62%
11	調理体験を取り入れられている	9,017	78.99%	1,897	16.62%	501	4.39%
12	調理室が外から見える	8,482	74.31%	2,442	21.39%	491	4.30%
13	自園で栽培し，収穫した食材を使用している	8,249	72.26%	2,558	22.41%	608	5.33%

⑦ 園児の家庭における食の問題はそれぞれ何割くらいありますか

順位		割合
1	使用する食材が少ない	193.03%
2	好きなものしか与えない	186.07%
3	夕飯の時間が遅い	157.94%
4	惣菜中心で調理しない（出来ない・苦手）	135.07%
5	菓子パン類が主	135.86%
6	ファーストフードが主（バーガー・ポテト・スナック類）	97.44%
7	朝食抜き	94.63%
8	外食で済ませることが多い	88.91%
9	離乳食が進まない	86.36%
10	楽しんで食事をしていない（孤食等）	84.74%

⑧ 保護者支援として実行していること全てに○をお付けください

順位		件数	比率
1	食に関する保護者の悩みや個別相談への対応	7,610	66.67%
2	行事を通しての食育の啓発	7,210	63.16%
3	試食会の実施	7,044	61.71%
4	食に関するパンフレット等の配布	6,685	58.56%
5	家庭で楽しく食べるための助言	5,700	49.93%
6	食事バランスガイドの啓発	3,313	29.02%
7	離乳食講習会の実施	1,216	10.65%
8	特にしていない	250	2.19%
	無回答	416	3.64%

6 新しい食品表示制度，JAS マーク

新しい食品表示制度

　食品表示は，食品衛生法，JAS 法，健康増進法の3法によって定められていましたが，制度が複雑でわかりにくいものとなっていたため，平成 27 (2015) 年に「食品表示法」として統合され，一元的な制度として創設されました．具体的なルールは「食品表示基準」に定められています．

　加工食品の原材料の産地表示，加工食品の栄養成分表示の義務化，アレルギー表示，新たな機能性表示制度の創設などが主な変更点です．加工食品と添加物は5年間，以前の制度に基づく表示が認められています（猶予期間）（参考：消費者庁 http://www.caa.go.jp/foods/pdf/syokuhin1441.pdf）．

▶ 加工食品の栄養成分表示の義務化
- 容器包装された加工食品には，熱量，たんぱく質，脂質，炭水化物，ナトリウム（食塩相当量）の5成分が表示されるようになります．
- 例外として，①表示可能面積が小さいもの，②酒類，③栄養の供給源としての寄与の程度が小さいもの，④きわめて短期間で原材料が変更されるもの，⑤小規模事業者が販売するもの，などは栄養成分の表示の省略が認められています．

▶ アレルギー表示
- 原則として個別表示になりますが，一括表示される場合もあります．

個別表示の例

原材料名	準チョコレート〔パーム油（大豆を含む），砂糖，全粉乳，ココアパウダー，乳糖，カカオマス，食塩〕，小麦粉，ショートニング（牛肉を含む），砂糖，卵，コーンシロップ，乳又は乳製品を主要原料とする食品，ぶどう糖，麦芽糖，加工油脂，カラメルシロップ，食塩
添加物	ソルビトール，酒精，乳化剤，膨張剤，香料

一括表示の例

原材料名	準チョコレート（パーム油，砂糖，全粉乳，ココアパウダー，乳糖，カカオマス，食塩），小麦粉，ショートニング，砂糖，卵，コーンシロップ，乳又は乳製品を主要原料とする食品，ぶどう糖，麦芽糖，加工油脂，カラメルシロップ，食塩（一部に小麦・卵・乳成分・牛肉・大豆を含む）
添加物	ソルビトール，酒精，乳化剤，膨張剤，香料（一部に大豆・乳成分を含む）

> **知っておこう！ Notice!**
>
> ### 特定保健用食品（トクホ）
>
> 健康の維持増進に役立つことが科学的根拠に基づいて認められ，「コレステロールの吸収を抑える」などの表示が許可されている食品．効果や安全性については国が審査を行い，消費者庁長官が許可している．（消費者庁 HP より）
>
>

JASマーク

JASマークは，JAS規格を満たしていることを確認された製品につけられています．JASマークがつけられた製品は一定の品質や特色をもっているので，買い物で商品を選んだりする際に，JASマークが付いていることを目印にすれば便利です．

▶一般JASマーク

- 品位，成分，性能などの品質についてのJAS規格を満たした食品につけられる．強制ではないので，規格を満たしながらもついていない食品もある．

| 規格が定められている食品 | カップめん，しょうゆ，果実飲料など |

▶有機JASマーク

- 農薬や化学肥料を使用しないで作られた農産物，加工食品，畜産物につけられる．このマークがついていなければ「有機」「オーガニック」と商品に表示することはできない．

| 規格が定められている食品 | 有機農産物，有機加工品，有機畜産物 |

▶特定JASマーク

- 長期熟成されたハムなど，特別な生産方法や，製造方法の一定の規格を満たした食品につけられる．

| 規格が定められている食品 | 熟成ハム類，熟成ソーセージ類，熟成ベーコン類，地鶏肉など |

▶生産情報公表JASマーク

- 生産地，生産者，与えられたえさや，使われた薬などが公表されている牛肉や豚肉，原材料や製造過程が公表されている加工食品などにつけられる．

| 規格が定められている食品 | 生産情報公表牛肉，生産情報公表豚肉，生産情報公表農産物など |

▶定温管理流通JASマーク

- 製造から販売までの流通行程において，一定の温度を保って流通させられた加工食品につけられる．

| 規格が定められている食品 | 米飯を用いた弁当類（寿司，チャーハン等を含む） |

（参考：農林水産省 http://www.maff.go.jp/j/jas/jas_kikaku/）

資料

7 乳幼児身体発育曲線

身長

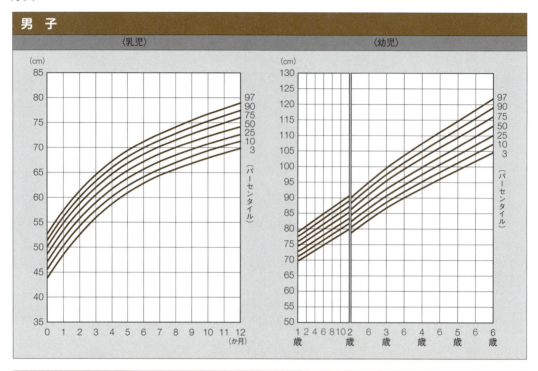

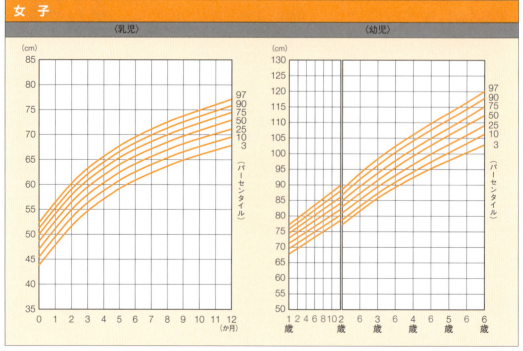

(厚生労働省. 平成22年乳幼児身体発育調査報告書. 2011.)

体重

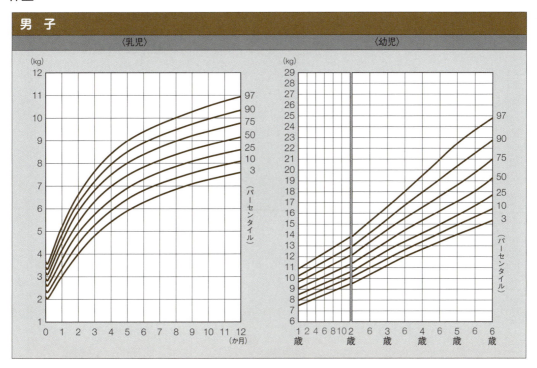

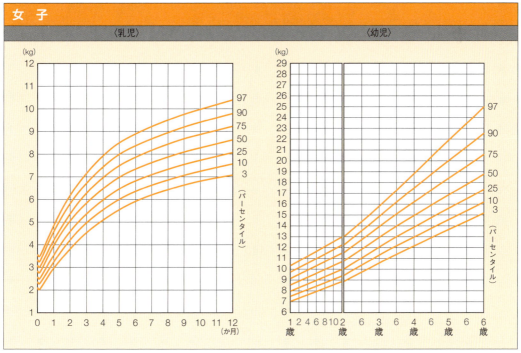

(厚生労働省. 平成 22 年乳幼児身体発育調査報告書. 2011.)

資　料

頭囲

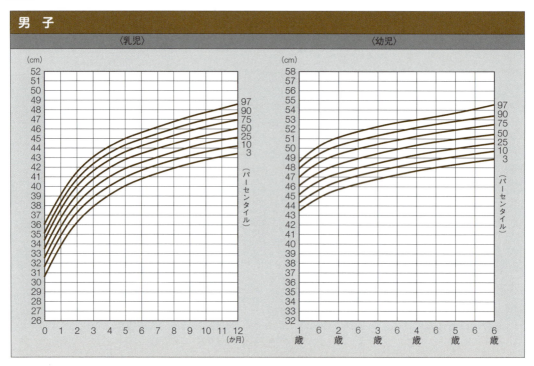

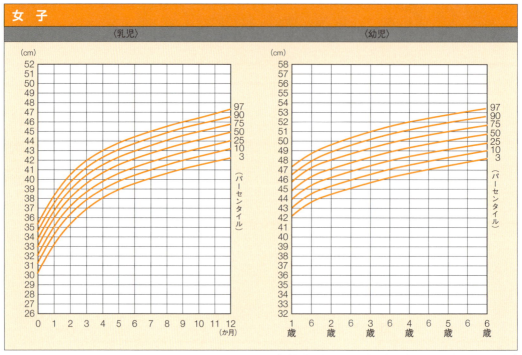

(厚生労働省. 平成 22 年乳幼児身体発育調査報告書. 2011.)

索引 ※太字は図表中の項目を含む

索 引

あ

亜鉛 ……………………………………… 8, **38**
赤ちゃんの発育・発達 …………………… **63**
遊び食い …………………………………… 77
アトピー性皮膚炎 ………………… 8, 136
アドレナリン ……………………………… 138
アナフィラキシーショック ……… **137**, 138
アニサキス ………………………………… **124**
アフタ性口内炎 …………………………… **143**
アミノ酸 ……………………………… 30, 56
アミノ酸スコア …………………………… **31**
アミラーゼ ………………………… 58, **59**
アレルギー疾患 …………………………… 136
アレルギー表示義務食品 ……………… 136
アレルギー表示推奨食品 ……………… 136
アレルゲン ………………………………… 136

い

イオン飲料水 …………… 41, **143**, **145**
育児用ミルク（→乳児用調製粉乳）
………………………… 65, **67**, 68, 132
　　　　栄養成分 ……………………… **66**
異常便 ……………………………………… 27
イノシン酸 ………………………… **55**, 56
異物混入 …………………………………… 132
インスリン ………………………………… 140
インフルエンザ ……………… 120, **144**

う

ウエルシュ菌 ………… **119**, 122, **124**, **125**
うま味 ……………………………… 55, 57

え

衛生管理 …………………………………… 130
栄養アセスメント ………………………… 6
栄養教諭 …………………………………… **106**
栄養失調症 ………………………………… 29
栄養素欠乏 ………………………………… **23**
栄養素と消化酵素 ………………………… **59**
栄養不良 …………………………… 22, 29

エネルギー消費：年齢による変化 ……… **29**
エピペン® ………………………………… 138
嚥下障害 …………………………………… 151

お

黄色ブドウ球菌 ………… **119**, 122, **144**
黄疸 ………………………………………… 8
嘔吐 ……… 26, **36**, 41, 118, 120, 121, 122,
　　　　　　123, 131, **133**, **137**, **143**, 144

か

介助 ………………………………………… **152**
カウプ指数 …………………… **6**, 14, 150
核酸 ………………………………………… 56
隠れた飢え ………………………………… 22
鵞口瘡 ……………………………………… **143**
風邪に似た症状 ………………… 120, 121
学校給食法 ………………………………… 104
学校生活管理指導表 …………………… 140
カリウム …………………………… **38**, **43**
カルシウム ……… **28**, **38**, **39**, 47, 104
カルニチン ………………………………… 35
カンジダ …………………………………… **143**
感染症 …………… 64, 118, 141, **143**
　　　　対応手順 ……………………… **133**
柑皮症 ……………………………………… 8
カンピロバクター
………… **119**, 120, **121**, **124**, **125**, **144**

き

基礎食品群 ………………………………… **28**
基礎代謝 …………………………… 14, **29**
基本味 ……………………………………… 55
虐待 ……………… 8, 110, 113, 150
給食 …………… 104, 106, 111, 112, 130
急性胃腸炎 ……………… 121, **143**, 144
牛乳アレルギー ………………………… **136**
共食 ………………………………… **20**, 21

く

グアニル酸 ………………………………… **55**

クドア ······································ **124**
グリコーゲン ······························ **32, 33**
グリセミック・インデックス ·············· 33
グルタミン酸 ························ **31, 55, 56**
くる病 ···························· 8, **36, 37, 38**
クレチン症 ································ **23**
クワシオルコル ······················ **23, 29**

け

経口補液 ································· **145**
血便 ··························· 27, 121, 144
下痢 ········· 22, 27, 32, 41, **118**, 120, 121,
　　　　　　122, 123, 131, **137, 143, 144**
下痢原性大腸菌 ······················ **119**, 121
健康増進法 ··························· 65, 130
検食 ····································· 130

こ

高血圧 ································· 38, 57
口中調味 ································· 56
後天性免疫不全症候群 ·············· 22, 65
誤嚥 ··························· 76, **151**, 152
　　──しやすい食品と形態 ············ **153**
孤食 ····································· 20
骨粗鬆症 ························· **36**, 37, **47**
コレステロール ····················· **34**, 35
混合栄養 ······························ 2, 68
献立 ····································· 24
　　学童期・思春期 ··············· **84, 85**
　　乳児期 ······························ 73
　　幼児期 ······························ **79**

さ

サカザキ菌 ·························· 67, 132
サルモネラ ··········· **119, 120, 124, 125, 144**

し

仕上げ磨き ··························· 9, 61
脂質 ·························· **28**, 34, **59**
　　育児用ミルク ····················· **66**
　　消化吸収機能 ····················· 58

母乳栄養 ·························· 62, **66**
児童福祉施設 ························· 110
児童福祉施設最低基準 ················ 111
児童福祉施設における食事の提供ガイド 110
自閉症 ································· 152
脂肪酸 ···························· 34, **59**
社会食べ ································· **75**
授乳 ····································· 50
授乳方法 ································· 64
授乳・離乳の支援ガイド ··············· 50
障害 ······························ 113, 151
消化器官 ···························· **26, 27**
消化吸収機能 ······················ 58, 74
脂溶性ビタミン ················· **36**, 37, **44**
小児の推定エネルギー必要量 ··········· 46
消費期限 ································· 48
賞味期限 ································· 48
食育 ····································· 88
　　計画 ······························ **96**
　　保育所における指針 ·············· **95**
　　6か月未満児 ····················· 51
食育基本法 ························· 88, 90
食育推進会議 ························· 88
食育推進基本計画 ····················· 90
　　目標値と現状値 ················· **93**
食育白書 ··························· 88, 99
食環境 ································· 16
食行動の発達の目安 ················· **75**
食事摂取基準 ··············· **42**, 44, 46, 47
食事バランスガイド ················· **107**
　　妊産婦 ··························· **45**
食中毒 ······················ **118, 124**, 144
　　対応手順 ························· **133**
　　統計調査 ····················· **124, 125**
　　予防 ························· **126, 127**
食物アレルギー ···· **7**, 8, 15, 71, 72, 73, 112,
　　　　 113, 114, 131, **136, 143**, 145, 150
　　声掛けの事例 ····················· 137
　　症状 ····························· **137**
食物アレルギー生活管理指導表 ·········· 138
食物繊維 ··············· **28, 40, 143**, 146

索　引

ショ糖 ………………………… **32**, 58, **59**	炭水化物 ……………………… 58, **59**
初乳 ……………………………………… 62	育児用ミルク ……………………… **66**
人工栄養 ……………………… 2, 62, 65	消化吸収機能 ……………………… 58
健康児の便 ………………………… 26	母乳栄養 ……………………… 63, **66**
便秘 ………………………………… 147	単糖類 ………………………………… **32**
身体活動レベル ……………………… 47	たんぱく質 ………………… **28**, 30, **59**
身体の成長 …………………………… 74	育児用ミルク ……………………… **66**

す

水分 …………………………… 40, 73
水溶性ビタミン ………………… **36**, **44**
水様粘液便 …………………………… 27
頭痛 ……………………… 118, 120, **143**
スプーン爪 …………………… **38**, 139
スポーツのための食事 ……………… **85**

せ

生活習慣 ……………………………… 4
生活習慣病 ………… 14, 42, 140, 148
制限アミノ酸 ………………… 30, **31**
成熟乳 ………………………………… 62
摂食機能 ……………………………… **52**
摂食行動 ……………………………… 74
摂食障害 ………………………… 83, 151
先天性甲状腺機能低下症 …………… 23

そ

咀嚼機能 ……………………… **52**, **53**

た

タール便 ……………………………… 27
体温の測り方 ………………………… **142**
体調不良 ……………………………… **143**
第二次性徴 …………………………… 80
胎便 …………………………………… 26
大量調理施設衛生管理マニュアル … 130
第4次食育推進基本計画 ……… 21, 90
ダウン症候群 ………………………… 152
脱水 …………… **41**, 118, 123, 141, **143**, 145
多糖類 ………………………………… **32**
だらだら食い …………………… 76, 148

　欠乏 ………………………………… **23**
　消化吸収機能 ……………………… 59
　母乳栄養 ……………………… 62, **66**

ち

窒息 …………………………………… 76
知的障害 ………………………… 110, 151
虫垂炎 …………………………… 26, **143**
腸炎ビブリオ ………………… **119**, **125**
腸管出血性大腸菌 … 121, **122**, **124**, **125**, **144**
腸重積症 ……………………………… 27
朝食 …………………………………… 10
　食生活・健康とのかかわり ……… **20**
　学力調査 …………………………… **12**
朝食欠食 ………………… 10, **20**, 82
朝食習慣 …………………………… 4, **10**
調理実習 ……………………………… 131

て

手洗い手順 …………………… **128**, **129**
低栄養 ………………………………… 148
低カルシウム血症 ……………… **36**, 37
鉄 ………………… **28**, **38**, **39**, 46, 69, 104
　欠乏 ………………………………… **23**
鉄欠乏性貧血 ……………………… 83, 139

と

糖質 …………………………… **28**, **32**, 58
糖質制限食 …………………………… 32
糖尿病 ………………………………… 140
トランス脂肪酸 ……………………… 35

な

ナトリウム ………………… **38**, **42**, 104

に

乳酸 ································· 32, 33
乳歯 ······················· 9, **53**, 61
乳児ボツリヌス症 ·············· 73, 122, 144
乳児用調製粉乳（→育児用ミルク）
··························· 65, 132, **139**
乳糖 ················ **32**, 58, **59**, 63, 66
妊産婦のための食生活指針 ·········· **44**, 45
妊娠 ······························ 8, 44
　　　推奨体重増加量 ··················· **45**

の

「のの字」マッサージ ···················· 146
ノロウイルス··· **119**, **123**, **124**, **125**, 130, **144**

は

肺炎 ······················· 22, **151**
配膳 ······················· 24, 131
白色便 ····························· 27
箸の使い方 ························· 19
はちみつ ············· **32**, 73, 123, **144**
発育曲線 ·························· **80**
発熱····· 26, 41, 118, 120, 123, 141, **143**, 144
　　　勧められる食品 ················ **141**
　　　対応 ······················· 141
反抗期 ························· 15, 80

ひ

ピーナッツ肺炎 ····················· 76
ビオチン ·························· **36**
ビタミン ················ **28**, 36, 104
　　　育児用ミルク ··············· **66**, 68
　　　母乳栄養 ······················ **66**
ビタミン A ·············· 22, **36**, 104
　　　欠乏 ······················· **23**
ビタミン B$_1$ ········· **28**, 33, 37, 104
　　　── 欠乏症 ················ **36**, 143
ビタミン D ························· 37
ビタミン K ························· 37
　　　── 欠乏性出血 ················· 65

必須アミノ酸 ················· 30, **31**
必須脂肪酸 ··················· **34**, 35
非必須アミノ酸 ··············· 30, **31**
非必須脂肪酸 ················· **34**, 35
ビフィズス菌 ··················· 40, 65
肥満 ············· 22, 30, 33, 83, 140, 148
ひみこの歯がいーぜ ············· 16, **17**
微量栄養素欠乏 ····················· 22
ピルビン酸 ··················· 32, **33**
貧血 ········· 8, **23**, 29, **36**, **38**, 83, 121, 139

ふ

フォローアップミルク············ 66, 69, **139**
腹痛 ············ 26, **36**, 118, 120, 121,
　　　　　　　122, 123, **137**, **143**, 144
ブドウ糖 ··················· 10, **32**, **59**
不飽和脂肪酸 ················· **34**, 35
不眠 ······················· 14, 141
分解酵素 ······················· 58, 59

へ

ベロ毒素 ··················· 121, **144**
偏食 ················· 14, 139, 152
　　　調理方法の工夫 ··············· **15**, 77
便の特徴 ······················· 26, 27
便秘 ········ 14, **40**, 65, 123, **143**, 146, 147

ほ

保育所保育指針 ················· 94, 114
飽和脂肪酸 ··················· **34**, 35
保護者への支援 ····················· **114**
母子健康手帳 ······················· 8
保存食 ····················· 130, **133**
ボツリヌス菌 ············· **119**, **122**, **144**
母乳 ······························ 62
　　　栄養成分 ················· **66**, **139**
　　　問題点 ······················· 65
　　　不足 ············· 65, 147, 150
母乳栄養 ········ 2, 37, 62, 139, 145, 147
　　　健康児の便 ················· 26, **27**
哺乳機能 ························· 52

索 引

哺乳反射 ……………………… **52**, **53**, 69
本態性高血圧 ……………………………… 57

ま

マラスムス …………………………… **23**, **29**
マルツエキス ……………………… **143**, 146

み

味覚機能 ………………………………… 54
未熟児 …………………………………… 139
味噌 ……………………………… **38**, 134
ミドリガメ ……………………………… 120
ミネラル ……………………………… 28, **38**
　　育児用ミルク ……………………… **66**, 68
　　母乳栄養 …………………………… 63, **66**

む

むし歯 …………………… 9, 15, 18, 61
むら食い ………………………………… 78

め

メタボリックシンドローム …………… **83**

や

やせ ………………… **6**, 29, 83, **149**, 150

ゆ

ユビキノン ……………………………… 33

よ

葉酸 ……………………………………… **36**
ヨウ素 ……………………………… **38**, 57
　　欠乏 ………………………………… **23**

り

離乳 …………………………… 50, **70**

保護者支援 ……………………………… 72
離乳期 …………………………………… 72
離乳食 ……………… 2, **3**, **53**, 57, 69
　　与える姿勢 ………………………… **71**
　　健康児の便 ………………………… 27
　　児童福祉施設における食支援 …… 112
　　進め方の目安 ………………… 69, **70**
リン …………………………………… **38**

れ

冷凍母乳 ……… 50, **51**, 65, 111, 131, 132
連絡帳 ……………………………… 114, 142

ろ

ロタウイルス ………… 27, **119**, **144**

英字

AIDS ……………………………… 22, 65
BMI ……………………………… **43**, 149
BMI リバウンド ………………………… 149
DRIs …………………………………… 42
O 脚 ……………………………… 8, **37**
O157 ………………………………… **144**
PDCA サイクル ………………………… 96
TCA サイクル ………………………… **33**
X 脚 ……………………………… 8, **37**

数字

2 糖類 …………………………………… **32**
3 大栄養素 ……………………………… 28
5 大栄養素 ……………………………… 28
2015 年度乳幼児栄養調査 …………… 2, 76

中山書店の出版物に関する情報は，小社サポートページを御覧ください．
https://www.nakayamashoten.jp/support.html

本書へのご意見をお聞かせください．
https://www.nakayamashoten.jp/questionnaire.html

子どもの食と栄養　改訂第3版

2014年 8月25日　初版	第1刷発行
2016年 4月15日	第2刷発行
2018年 9月10日　改訂第2版	第1刷発行
2020年 2月20日	第2刷発行
2021年 4月 1日	第3刷発行
2022年 1月 1日　改訂第3版	第1刷発行
2024年 1月25日	第2刷発行

編集・執筆 ── 児玉　浩子
執　筆 ── 太田　百合子，風見　公子
　　　　　　小林　陽子，藤澤　由美子
発行者 ── 平田　直
発行所 ── 株式会社 中山書店
　　　　　〒112-0006　東京都文京区小日向4-2-6
　　　　　TEL 03-3813-1100(代表)
　　　　　https://www.nakayamashoten.co.jp/

本文デザイン ── ビーコム
装丁 ── ビーコム
イラスト ── 田中ゆうこ
印刷・製本 ── 三報社印刷株式会社

Published by Nakayama Shoten Co., Ltd.　　　Printed in Japan
ISBN 978-4-521-74934-1
落丁・乱丁の場合はお取り替え致します

本書の複製権・上映権・譲渡権・公衆送信権(送信可能化権を含む)は株式会社中山書店が保有します．

JCOPY〈(社)出版者著作権管理機構　委託出版物〉
本書の無断複製は著作権法上での例外を除き禁じられています．複製される場合は，そのつど事前に，(社)出版者著作権管理機構(電話 03-5244-5088, FAX 03-5244-5089, info@jcopy.or.jp)の許諾を得てください．

本書をスキャン・デジタルデータ化するなどの複製を無許諾で行う行為は，著作権法上での限られた例外(「私的使用のための複製」など)を除き著作権法違反となります．なお，大学・病院・企業などにおいて，内部的に業務上使用する目的で上記の行為を行うことは，私的使用には該当せず違法です．また私的使用のためであっても，代行業者等の第三者に依頼して使用する本人以外の者が上記の行為を行うことは違法です．

『子どもの食と栄養』

目標

1. 健康な生活の基本としての食生活の意義や栄養に関する基本的知識を習得する．

2. 子どもの発育・発達と食生活の関連について理解する．

3. 養護及び教育の一体性を踏まえた保育における食育の意義・目的，基本的考え方，その内容等について理解する．

4. 家庭や児童福祉施設における食生活の現状と課題について理解する．

5. 関連するガイドラインや近年のデータ等を踏まえ，特別な配慮を要する子どもの食と栄養について理解する．

(厚生労働省．保育士養成課程を構成する各教科目の目標及び教授内容について．より抜粋)